SNEL**GIDS**

INTERNET
EXPLORER 7

Anne
Timmer-Melis

easy
computing

| Copyright | © 2007 Easy Computing |
| | 1ste druk 2007 |

Uitgever	Easy Computing N.V.
	Horzelstraat 100
	1180 Brussel

	Easy Computing B.V.
	Jansweg 40
	2011 KN Haarlem

| E-mail | boeken@easycomputing.com |
| Web | www.easycomputing.com |

Auteur	Anne Timmer-Melis
Eindredactie	Jurgen Boel
Vormgeving	*Phaedra creative communications*, Westerlo
Cover	Hilde Clement

ISBN	978-90-456-4150-8
NUR	988
Wettelijk Depot	D/2007/6786/23

Belangrijke opmerking

Wanneer in dit boek methodes en programma's vermeld worden, gebeurt dit zonder inachtneming van patenten, aangezien ze voor amateur- en studiedoeleinden dienen. Alle informatie in dit boek werd door de auteurs met de grootste zorgvuldigheid verzameld respectievelijk samengesteld. Toch zijn fouten niet helemaal uit te sluiten. Easy Computing neemt daarom noch garantie, noch juridische verantwoordelijkheid of enige andere vorm van aansprakelijkheid op zich voor gevolgen die op foutieve informatie berusten. Wanneer u eventuele fouten tegenkomt, zijn de auteurs en de uitgever dankbaar wanneer u deze aan hen doorgeeft. Wij wijzen er verder op dat de in het boek genoemde soft- en hardwarebenamingen en merknamen van de betreffende firma's over het algemeen door fabrieksmerken, handelsmerken, of patentrecht beschermd zijn.

Inhoud

Inleiding

In augustus 1995 introduceerde Microsoft Windows 95 met als extra programma de browser Internet Explorer. Met deze browser hebben velen onder u de
eerste stappen gezet op het internet. Nu, ruim tien jaar later, is Internet Explorer
de meest gebruikte browser voor het World Wide Web.

De nieuwste versie van Internet Explorer onderging een fikse metamorfose. Het
programma is anders ingedeeld, waardoor het venster minder vol is en er meer
ruimte overblijft voor de webpagina. Daarnaast heeft Internet Explorer 7 een
aantal nieuwe opties waarmee men sneller en gemakkelijker kan werken en de
computer beter beveiligd is tegen ongewenste activiteiten.

Een van de meest prominente veranderingen is de mogelijkheid om tabbladen
te gebruiken. Via deze tabbladen kunnen meerdere websites tegelijkertijd open
staan in eenzelfde venster. Voor het bekijken van de verschillende websites schakelt u tussen de verschillende tabbladen. Ook kunt u groepen tabbladen opslaan
of miniatuurweergaven bekijken van geopende sites.

Als u informatie zoekt, hoeft u geen website met een zoekmachine meer te
openen. Met het zoekvak op de werkbalk kunt u snel een onderwerp opzoeken
bij verschillende zoekmachines. De zoekresultaten plaatst u in aparte tabbladen
waarna u de inhoud van de websites kunt vergelijken.

Het afdrukken van webpagina's is eveneens verbeterd. De webpagina wordt automatisch aangepast aan het papierformaat dat is aangegeven bij de printerdefinities. U kunt vooraf een afdrukweergave bekijken en het tekstformaat aanpassen zodat er geen delen van de webpagina op een andere pagina worden geplaatst.

Bij Internet Explorer 7 is de toepassing RSS (Really Simple Syndication) geïntegreerd, hierdoor is het niet meer nodig om een extra programma aan te schaffen om de rss-pagina's te openen en ziet u automatisch wanneer er nieuwe informatie op een website is geplaatst.

Ook op veiligheidsgebied is het nodige gewijzigd. Het programma beschermt nu uw computer automatisch tegen ongewenste en schadelijke programma's die mogelijk tijdens het surfen op uw systeem worden geïnstalleerd.

Een bekend veiligheidsprobleem vormt ActiveX. Microsoft heeft maatregelen genomen tegen het misbruik van zogenoemde ActiveX-controls. Als gebruiker krijgt u een melding als een nog niet eerder gebruikte ActiveX-control wordt aangeroepen. De toegang tot een bepaalde site kan vervolgens worden geweigerd.

Een ander bekend probleem is de zogenoemde buffer overflows. Hackers kunnen bijvoorbeeld een html-pagina dusdanig prepareren dat een buffer overflow ontstaat, waarna een compleet systeem kan worden overgenomen. Microsoft heeft de code van Internet Explorer 7 zodanig aangepast dat het risico op dergelijke aanvallen aanzienlijk wordt verkleind. Hetzelfde geldt voor cross site scripting. Hierbij wordt een script van het ene internetdomein gebruikt om content van het andere domein te manipuleren. Volgens Microsoft is het niet alleen van belang om maatregelen te nemen om de technische veiligheid te vergroten, maar moet er ook aandacht worden geschonken aan problemen die ontstaan door onachtzaamheid van de gebruiker, zoals bij phishing. Met de phishing filter wordt u gewaarschuwd voor potentieel gevaarlijke sites. De browser controleert hierbij of een bepaalde site verdacht is, onder meer aan de hand van onlogische karakters in de URL. Door al deze veranderingen en maatregelen is de browser Internet Explorer een programma waarmee het surfen op internet nog gemakkelijker en veiliger is geworden. In deze gids komen alle hiervoor besproken onderwerpen aan de orde. Daarnaast vertellen wij u hoe u Internet Explorer kun aanpassen aan uw wensen.

Installeren en starten

1

Voordat u aan de slag kunt met Internet Explorer 7, moet het programma geïn-stalleerd worden. Dat wil zeggen als u een computer hebt die op Windows XP draait. Hebt u een computer waarop het besturingssysteem Windows Vista is geïnstalleerd, dan is Internet Explorer 7 al aanwezig.

U kunt het programma downloaden van de internetsite van Microsoft. Maar voordat u het kunt installeren, moet u eerst controleren of uw computer het juiste besturingssysteem heeft en aan de juiste systeemeisen beantwoordt.

Bureaublad van Windows XP.

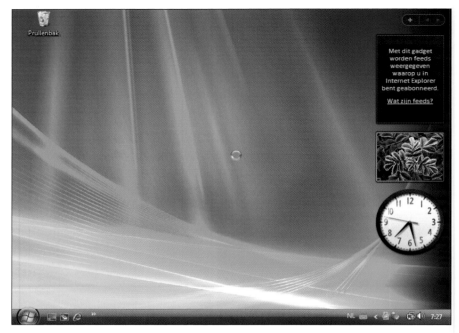

Bureaublad van Vista

Systeemeisen

Internet Explorer 7 werkt met Windows XP Service Pack 2 (SP2), Windows XP Professional x64 Edition en Windows Server 2003 Service Pack 1 (SP1). Daarnaast moet uw computer aan de volgende systeemvereisten voldoen.

Computer/processor	Computer met een 233MHz of snellere processor (Pentium-processor wordt aanbevolen)
Besturingssysteem	Windows XP Service Pack 2 (SP2) Windows XP Professional x64 Edition Windows Server 2003 Service Pack 1 (SP1)
Geheugen	64 MB RAM of meer
Totale installatieomvang:	12 MB
Station	Cd-romstation (als de installatie vanaf een cd-rom wordt uitgevoerd)
Beeldscherm	Super VGA (800 x 600) of monitor met een hogere resolutie met 256 kleuren

Randapparatuur	Modem of internetverbinding, Microsoft Mouse, Microsoft IntelliMouse of compatibel aanwijsapparaat

Installatie

Windows XP

Bij het installeren van IE 7 onder Windows XP wordt onderscheid gemaakt tussen gebruikers die al beschikken over Internet Explorer 7 Preview en gebruikers die het programma voor het eerst installeren. Hebt u al een keer Internet Explorer 7 Preview geïnstalleerd dan moet u deze versie eerst verwijderen.

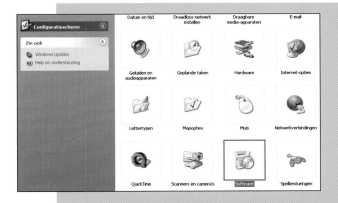

1 Klik op **start**.

2 Klik op **Configuratiescherm**.

3 Klik op **Software**.

4 Klik op **Programma's wijzigen of verwijderen**.

5 Klik op **Internet Explorer 7 Preview**.

6 Klik op **Verwijderen**.

7 Start de pc opnieuw.

U kunt nu de installatieprocedure volgen voor versie 6 van Internet Explorer.

Internet Explorer 6

Hebt u Internet Explorer versie 6 op uw computer, volg dan onderstaande installatieprocedure.

1 Activeer **Internet Explorer**.

2 Typ in de adresbalk http://www.microsoft.nl of http://www.micro-soft.be.

3 Typ in het zoekvak **Explorer 7**.

4 Druk op [Enter].

5 Klik op **Downloaden**.

6 Selecteer de versie van het door u gebruikte besturings-systeem.

Internet Explorer 7-downloads

Haal Internet Explorer 7-downloads op, inclusief aanbevolen updates nadat die beschikbaar zijn. Ga naar de internationale pagina van Internet Explorer 7 om Internet Explorer 7 te downloaden in de taal van uw keuze.

Ga naar de ondersteuningspagina voor probleemoplossing en opties voor feedback.

Internet Explorer 7 downloaden
Op basis van uw computerinstellingen ziet u hieronder de juiste versie van Internet Explorer 7 voor uw systeem.

Internet Explorer 7 voor Windows XP Service Pack 2 (SP2) (meestgebruikt)
Voor gebruik met Windows XP Professional SP2 en Windows XP Home SP2

7 Klik op **OK**.

In de pagina Internet Explorer 7-downloads, vindt u ook contro-lelijsten waarin u meer informatie leest over de installatie.

12

Bestand downloaden - Beveiligingswaarschuwing

Wilt u dit bestand uitvoeren of opslaan?

Naam: IE7-WindowsXP-x86-nld.exe
Type: Toepassing, 14,1 MB
Van: download.microsoft.com

[Uitvoeren] [Opslaan] [Annuleren]

Hoewel bestanden die u van het Internet hebt gedownload handig kunnen zijn, kan dit bestandstype schade aan uw computer toebrengen. Voer deze software niet uit of sla deze niet op als u twijfelt over de afkomst. Wat is het risico?

8 Klik op **Uitvoeren**.

9 Internet Explorer wordt geïnstalleerd.

Windows Vista

Hebt u het besturingssysteem Vista op uw computer dan hoeft u Internet Explorer niet te installeren. Het programma is dan een onderdeel van het besturingssysteem. In de taakbalk ziet u het startpictogram staan.

> **INFO**
>
> Heeft u nog geen internetverbinding dan moet u zich eerst aanmelden bij een provider en aan de hand van de informatie die u van deze provider krijgt de internetverbinding tot stand brengen. U kunt controleren of u al een internetverbinding hebt door in de werkbalk op **Extra** te klikken en vervolgens op **Internet-opties, Verbindingen, Instellingen...**

De interface

De interface van het besturingssysteem Vista geeft een ander uiterlijk aan IE7 dan Windows XP. In Vista zijn de knoppen groter en de look en feel van de vensters is transparanter. Maar de functionaliteit is identiek. Het meest opvallende bij de nieuwe versie van Internet Explorer 7 is het gebruik van tabbladen. Maar het is nu ook nog gemakkelijker om websites toe te voegen aan uw favorieten, te zoeken op het web en om toegang te krijgen tot de andere taken en hulpprogramma's die u vaak gebruikt.

In de volgende hoofdstukken worden de veranderingen en nieuwe opties van Internet Explorer 7 toegelicht. In de onderstaande afbeeldingen krijgt u alvast een indruk van de vernieuwde interface.

Interface bij Windows XP

Interface bij Vista

Explorer starten

 Zodra Internet Explorer is geïnstalleerd, ziet u het pictogram van Explorer staan, bij Windows XP staat het op het bureaublad en bij Vista in de taakbalk. Door op het pictogram te klikken, opent het programma.

Wanneer u Internet Explorer start, wordt de webpagina weergegeven die als startpagina is ingesteld. Standaard is die ingesteld op MSN.com, een Microsoft-website met koppelingen naar diverse informatiepagina's en diensten (dit kan bij de publicatie van dit boek anders zijn). Het venster waarin de startpagina te zien is, heeft dezelfde opbouw als alle andere Windows vensters.

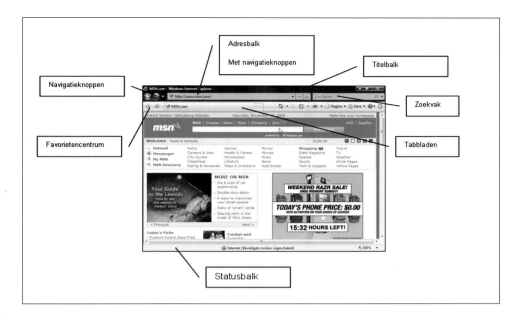

Adresbalk

Met navigatieknoppen

Titelbalk

Navigatieknoppen

Zoekvak

Favorietencentrum

Tabbladen

Statusbalk

Een webadres invoeren

Wanneer u informatie wilt opzoeken op het World Wide Web moet u in het Adresvak van Explorer een adres invoeren. Dit adres wordt een URL genoemd (Uniform Resource Locator).

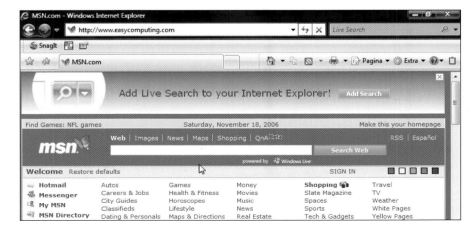

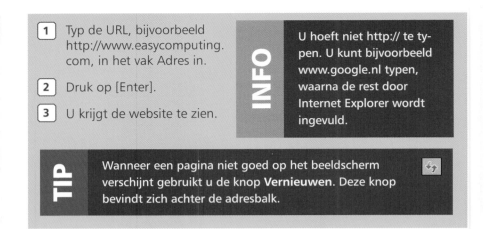

Navigatie

De meeste websites bestaan uit tientallen of zelfs honderden webpagina's. Deze pagina's kunt u bekijken door op de koppelingen (hyperlinks) te klikken die zich op een pagina bevinden. Koppelingen kunnen tekst, afbeeldingen of een combinatie van tekst en afbeeldingen zijn. Soms is het lastig te zien welke items op een pagina de koppelingen zijn. Tekstkoppelingen zijn vaak gekleurd en onderstreept, maar de koppelingsstijlen variëren per website. U kunt testen of iets een koppeling is door de muisaanwijzer er op te plaatsen. Als het een koppeling is, verandert de muisaanwijzer in een handje en wordt in de statusbalk de URL weergegeven. Klikt u op de koppeling dan wordt de volgende pagina geopend.

Met de knoppen **Vorige** en **Volgende** kunt u naar de vorige of volgende pagina gaan. Tijdens het schakelen tussen verschillende pagina's wordt door het programma Internet Explorer een lijst samengesteld van bezochte pagina's. Hierdoor kunt u snel teruggaan naar de vorige pagina's. klik meerdere malen op de knop **Vorige** om verder terug te gaan.

Klik op knop **Vorige**.

U kunt ook de lijstpijl achter de knop **Volgende** gebruiken. Hiermee krijgt u een lijst te zijn van de pagina's die u tijdens de huidige sessie hebt bezocht.

1 Klik op de lijstpijl achter de knop **Volgende**.

2 Klik op pagina die u opnieuw wilt zien.

Bij de lijstpijl achter de adresbalk kunt u zien welke websites u al heeft bezocht.

1 Klik op de lijstpijl achter de adresbalk.

2 Klik op de site die u weer wilt openen.

Venster sluiten

U sluit Internet Explorer af door in de titelbalk op de knop sluiten te klikken. Dezelfde manier al u gewend bent bij alle andere vensters van Windows.

Klik op het sluitsymbool (kruisje).

Hoe u sneller, gerichter en veilig informatie kunt opzoeken met internet Explorer 7 wordt in de volgende hoofdstukken besproken.

Bepaal zelf de vormgeving

2

Inleiding

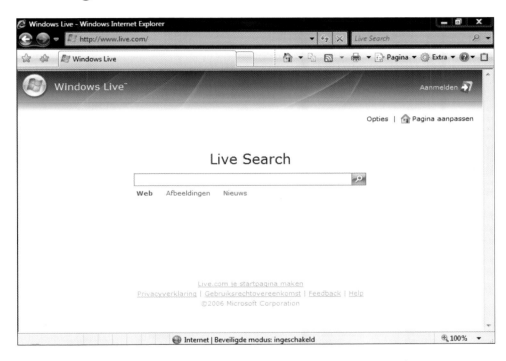

Bij de nieuwe vormgeving van IE 7 zijn geen menubalk en koppelingen meer aanwezig. Onder de gebruikelijke titelbalk staat de adresbalk. Hierdoor is er meer ruimte voor de webpagina. Aan de linkerkant van de adresbalk zijn de knoppen **Vorige** en **Volgende** geplaatst en aan de rechterkant de knoppen om een pagina te vernieuwen en af te sluiten. Daarachter is een nieuwe zoekbalk toegevoegd waarmee u meerdere zoekmachines kunt raadplegen. Onder de knoppen **Vorige** en **Volgende** bevinden zich de knoppen voor het openen van het **Favorietencentrum** met daarnaast de knop om een website aan de **Favorieten** toe te voegen. Uw oude favorieten worden bij een update overigens automatisch overgenomen in IE7. Daarachter volgen de tabbladen en de opdrachtbalk waarin u ongetwijfeld de pictogrammen **Afdrukken** en **Home** herkent. Kortom IE 7 is compacter, maar dat wil niet zeggen dat u akkoord moet gaan met deze vormgeving. U kunt het venster aanpassen aan uw eigen wensen.

Opdrachtenbalk aanpassen

In de opdrachtenbalk staan nog steeds knoppen voor de meest gebruikte opdrachten. Ook is het nu weer mogelijk om de andere knoppen aan de opdrachtenbalk toe te voegen. U kunt bijvoorbeeld **Kopiëren** toevoegen om delen van de website te kopiëren of direct naar de **Maileditor** te gaan. Voor het toevoegen of wijzigen van de opdrachtenbalk activeert u de optie **Opdrachtbalk aanpassen**.

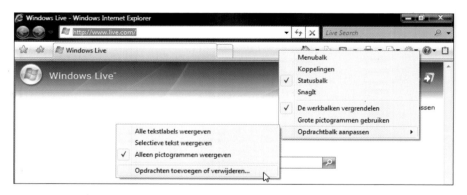

1 Klik met de rechtermuisknop op een grijs gebied achter het tabblad.

2 Kies uit het snelmenu **Opdrachtbalk aanpassen**.

3 Klik op **Opdrachten toevoegen of verwijderen...**

4 Klik in het linkervak op de knop **Kopiëren**.

5 Klik op de knop **Toevoegen ->**

6 Klik op **Sluiten**.

Tekstlabels of Selectieve tekst

Het is ook mogelijk de pictogrammen in de werkbalken van tekstlabels of van selectieve tekst te voorzien. Bij deze opties komen er verklarende teksten achter de pictogrammen. Dit heeft wel als consequentie dat u niet alle pictogrammen in de werkbalk ziet maar er vervolgtekens aan het einde van de werkbalk worden toegevoegd.

1 Klik met de rechtermuisknop op een grijs gebied van de werkbalk.

2 Klik op **Opdrachtbalk aanpassen**.

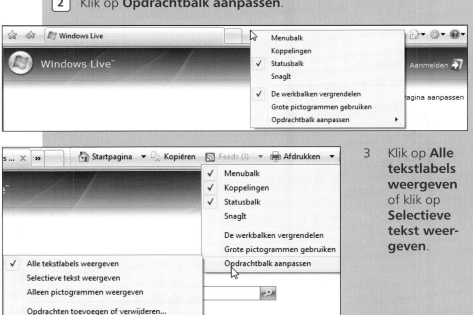

3 Klik op **Alle tekstlabels weergeven** of klik op **Selectieve tekst weergeven**.

4	Voor het ongedaan maken van deze opties herhaalt u de stappen, het vinkje verdwijnt weer.	INFO	U moet een keuze maken tussen **Alle tekstlabels weergeven** of **Selectieve tekst weergeven**.

Werkbalken activeren

De werkbalken, zoals de **Menubalk** en de **Koppelingenbalk** die u gewend was bij IE 6 zijn bij installatie van IE 7 niet zichtbaar, maar kunt u ze nog steeds activeren. Aan de opdrachtenbalk kunt u ook opdrachten toevoegen of verwijderen. Het verplaatsen van de adresbalk is echter verleden tijd. Ook de werkbalk met de tabbladen is niet te verplaatsen. Het activeren van de menubalk en de koppelingsbalk doet u met een snelmenu. Dit snelmenu wordt zichtbaar wanneer u met de rechtermuisknop op een grijsgebied in de tabbalk klikt.

1	Klik met de rechtermuisknop op een grijs gebied achter het tabblad.
2	Kies uit het snelmenu **Menubalk**.
3	De menubalk is in beeld.
4	Klik met de rechtermuisknop op een grijs gebied achter het tabblad.
5	Kies uit het snelmenu **Koppelingen**
6	De koppelingenbalk is in beeld.

De werkbalken zijn standaard vergrendeld. Dit betekent dat u de werkbalken niet kunt verplaatsen. Door de werkbalken te ontgrendelen kunt u de werkbalken verplaatsen. Zo kunt u bijvoorbeeld de menubalk en de balk **Koppelingen** op een regel plaatsen om ruimte te besparen. Door de optie **Werkbalken** af te vinken ontgrendelt u de werkbalk. Deze optie heeft een aan/uit functie.

1	Klik met de rechtermuis-knop op een grijs gebied achter het tabblad.	**INFO**	Zodra de werkbalken niet meer vergrendeld zijn, krijgen de werkbalken verplaatsingsgrepen aan het begin van de balk. De werkbalk **Snagit** behoort niet tot het programma Explorer.
2	Kies uit het snelmenu **De werkbalken vergrendelen**.		
3	Wanneer u opnieuw op deze optie klikt, worden de werkbalken weer ontgrendeld.		

Menubalk of koppelingsbalk verplaatsen

De menubalk en de koppelingsbalk zijn te verplaatsen. Dat wil zeggen u kunt deze twee balken onder elkaar of achter elkaar plaatsen. Bij de laatste optie bespaart u ruimte.

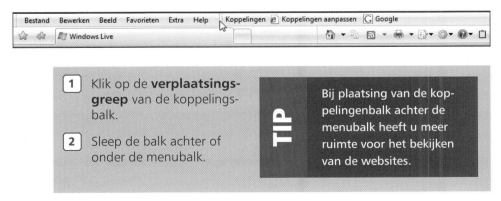

1	Klik op de **verplaatsingsgreep** van de koppelingsbalk.	**TIP**	Bij plaatsing van de koppelingenbalk achter de menubalk heeft u meer ruimte voor het bekijken van de websites.
2	Sleep de balk achter of onder de menubalk.		

Koppelingen invoegen

Zoals in de vorige versie van Explorer kunt u in de balk **Koppelingen**, hyperlinks plaatsen van de sites die u regelmatig bezoekt. De hyperlinks kunt u verplaatsen of verwijderen. Hebt u de werkbalk nog niet in beeld, dan kunt u deze ook via de menubalk activeren met **Beeld, Werkbalken**. Standaard staat in de werkbalk **Koppelingen** alleen **Koppelingen** Hiermee kunt u informatie krijgen over het inschakelen van de koppelingen. Tijd om enkele nieuwe koppelingen toe te voegen.

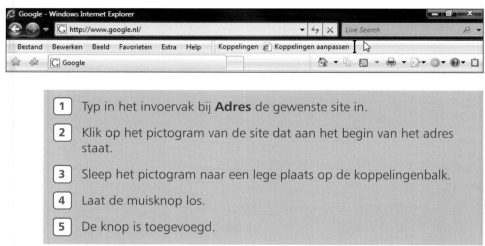

1. Typ in het invoervak bij **Adres** de gewenste site in.

2. Klik op het pictogram van de site dat aan het begin van het adres staat.

3. Sleep het pictogram naar een lege plaats op de koppelingenbalk.

4. Laat de muisknop los.

5. De knop is toegevoegd.

Koppelingen anders rangschikken

De koppelingen kunt u, net als in IE 6 rangschikken naar uw voorkeur. Het snelst verplaatst u een koppeling door deze te verslepen.

1. Klik op de koppeling die u wilt verplaatsen.

2. Sleep de koppeling naar een andere plaats in de koppelingenbalk.

Hebt u veel koppelingen in de balk aangebracht dan krijgt u vervolgtekens aan het eind van de balk te zien waarmee u de overige
koppelingen zichtbaar kunt maken. Bij veel koppelingen kunt u
overwegen om deze onder te brengen bij de favorieten of in een
tabgroep (zie voor favorieten hoofdstuk 3).

Koppeling verwijderen

Koppelingen die u minder gebruikt, kunt u verwijderen of besluiten deze onder
te brengen bij de favorieten (zie hoofdstuk 3). Het verwijderen van een koppeling doet u met de keuze **Verwijderen**. Via een dialoogvenster wordt nog eens
gevraagd of u de snelkoppeling echt wilt verwijderen.

1 Klik op het picto-
gram van de aan-
gebrachte site.

2 Klik met de rech-
termuisknop op
Verwijderen.

3 Klik in het dialoog-
venster op **Ja**.

4 De koppeling is
verwijderd.

Wie de pictogrammen in de werkbalk te klein vindt, kan met de optie **Grote
pictogrammen** de pictogrammen in de werkbalken vergroten. Deze optie heeft
een aan/uit functie.

Live Search

1. Klik met de rechtermuisknop op een grijs gebied achter het tabblad.

2. Kies uit het snelmenu **Grote pictogrammen gebruiken**.

3. Wanneer u opnieuw op deze optie klikt worden de pictogrammen weer verkleind.

INFO Grote pictogrammen hebben tot gevolg dat er minder informatie op de werkbalk zichtbaar is en er vervolgtekens worden geplaatst.

Grotere Tekst

U kunt de webpagina's beter leesbaar maken door de tekstgrootte te veranderen. De afbeeldingen en animaties binnen de webpagina blijven in de originele grootte.

1. Klik op de knop **Pagina**.

2. Klik op **Tekengrootte**.

3. Maak een keuze uit de mogelijkheden.

INFO Voor het ongedaan maken van deze verandering herhaalt u de handelingen en kiest u voor **Normaal**.

Zoom

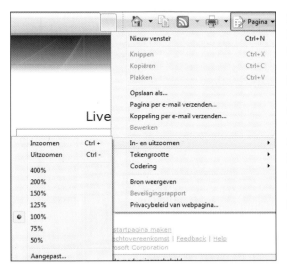

Een andere manier om webpagina's beter leesbaar te maken, is door de optie **Zoom** te gebruiken. Bij deze optie kunt u de pagina vergroten tot 400%. U begrijpt natuurlijk wel dat er dan erg weinig van de pagina te zien is. Maar een percentage van 125% is handig voor slechtzienden. U kunt het zoomen instellen via het menu of de sneltoetsen [Ctrl] + [+] gebruiken voor **Inzoomen** (tekst wordt groter) of [Ctrl] +[-] voor **Uitzoomen** (tekst wordt kleiner).

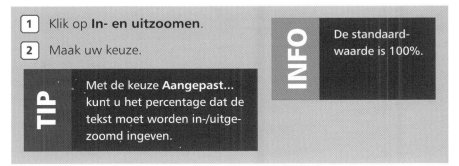

1 Klik op **In- en uitzoomen**.

2 Maak uw keuze.

TIP Met de keuze **Aangepast...** kunt u het percentage dat de tekst moet worden in-/uitgezoomd ingeven.

INFO De standaardwaarde is 100%.

Tabbladen

Het programma Internet Explorer is ontwikkeld om webpagina's te bekijken, met andere woorden om te surfen op het net. Met het grote aanbod van informatie wil men graag kunnen schakelen tussen de verschillende websites. In IE6 was hiervoor alleen de optie **Nieuw venster** beschikbaar. In IE 7 zijn er tabbladen toegevoegd. Met de tabbladen kunt u meerdere webpagina's openen in één venster. Zodra u meerdere tabbladen hebt geactiveerd, wordt automatisch de knop **Snelle tabbladen** toegevoegd. Met deze knop kunt u miniaturen openen van de geopende webpagina's. Achter de knop staat een lijstpijl waarmee u een overzicht krijgt van alle geopende webpagina's, zodat u direct kunt schakelen naar de juiste pagina.

Bij de start van IE 7 wordt de startpagina in het eerste tabblad geopend. Als u tegelijkertijd een andere website wilt bekijken, hoeft u alleen maar op de knop **Nieuw tabblad** in de werkbalk te klikken en het adres van de website die u wilt bezoeken in de adresbalk te typen. Uw startpagina blijft geopend op het eerste tabblad. De websites waarvoor u geen belangstelling meer hebt, sluit u met het sluitsymbool. Sluit u Internet Explorer dan krijgt u de vraag of u ook alle tabbladen wilt sluiten of met deze bladen de volgende keer Internet Explorer te openen.

Tabblad maken

Het maken van nieuwe tabbladen gaat simpel. U klikt op de knop **New Tab** of gebruik de toetscombinatie [Ctrl]+[T]. In het lege tabblad krijgt u informatie te zien over hoe u met de tabbladen kunt werken. Zodra u nu een andere site opent, wordt deze automatisch in het nieuwe tabblad geplaatst.

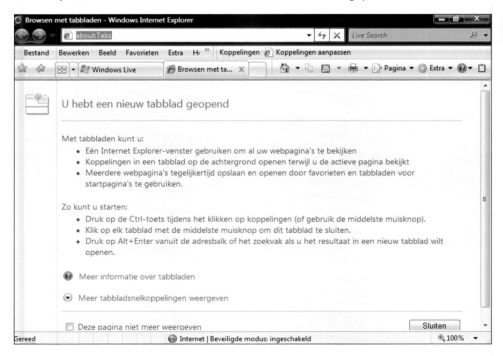

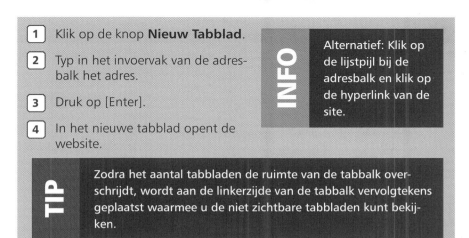

TIP Zodra het aantal tabbladen de ruimte van de tabbalk overschrijdt, wordt aan de linkerzijde van de tabbalk vervolgtekens geplaatst waarmee u de niet zichtbare tabbladen kunt bekijken.

Schakelen tussen tabbladen

Zodra u meerdere tabbladen hebt gemaakt, kunt u de websites bekijken door op de verschillende tabbladen te klikken. Ook kunt u een miniatuurweergave bekijken van alle tabbladen op één pagina of de lijst met sites in de tabbladen. U klikt op de gewenste site en het tabblad wordt geactiveerd. Het gebruik van meerdere tabbladen is vooral handig om bijvoorbeeld prijzen te vergelijken of andere informatie te verzamelen.

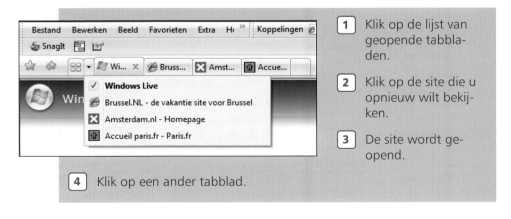

1 Klik op de lijst van geopende tabbladen.

2 Klik op de site die u opnieuw wilt bekijken.

3 De site wordt geopend.

4 Klik op een ander tabblad.

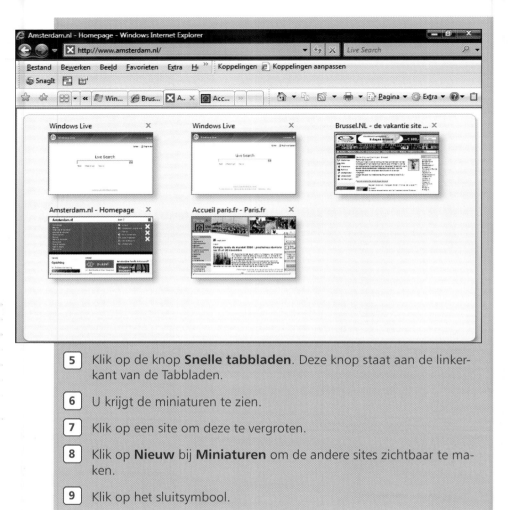

5 Klik op de knop **Snelle tabbladen**. Deze knop staat aan de linker-kant van de Tabbladen.

6 U krijgt de miniaturen te zien.

7 Klik op een site om deze te vergroten.

8 Klik op **Nieuw** bij **Miniaturen** om de andere sites zichtbaar te maken.

9 Klik op het sluitsymbool.

Tabblad verwijderen

Binnen IE7 is altijd een tabblad aanwezig. De andere tabbladen moet u zelf acti-veren. Zodra u een tabblad en de site die daarin is geopend niet meer gebruikt, sluit u het tabblad met het sluitsymbool. Het sluitsymbool bevindt zich aan de rechterkant van het geselecteerde tabblad. Als u een tabblad sluit, verwijdert u niet alleen het tabblad maar dus ook de daarin geopende site.

1 Activeer het tabblad dat u wilt sluiten.

2 Klik op het sluitsymbool van het tabblad dat u wilt sluiten.

TIP Het tabblad kunt u ook sluiten met de sneltoets [Ctrl[+[W].

Tabblad verplaatsen

De volgorde van de tabbladen kunt u wijzigen. Hiervoor sleept u het tabblad naar links of rechts.

1 Klik op het tabblad dat u wilt verplaatsen.

2 Sleep het tabblad naar links of rechts.

3 Het tabblad wordt geplaatst waar de lijn met de pijltjes te zien is.

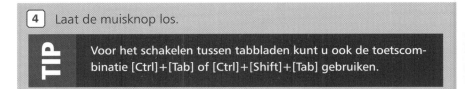

Voor het schakelen tussen tabbladen kunt u ook de toetscombinatie [Ctrl]+[Tab] of [Ctrl]+[Shift]+[Tab] gebruiken.

Tabgroepen vastleggen

Het beheer van meerdere sites kan lastig zijn, maar met tabgroepen maakt u het uzelf gemakkelijk. Stel u hebt een aantal sites bekeken voor een vakantie. Deze sites hebt u geopend in aparte tabbladen. Deze groep tabbladen kunt u nu bij de favorieten vastleggen onder een aparte naam. U kunt tabgroepen maken voor diverse onderwerpen, zoals vakantie, shoppen, financiën of nieuws.

1 Klik op de knop **Favorieten toevoegen**.

2 Klik op **Tabbladgroep aan favorieten toevoegen...**

3 Typ de naam van het onderwerp.

4 Klik op **Toevoegen**.

Met de lijstpijl bij **Maken in:** kunt u de tabbladgroep ook plaatsen in een submap of in de balk **Koppelingen**.

Alle tabbladen sluiten

Sluit u Explorer af maar hebt u nog een aantal tabbladen in gebruik, dan krijgt u onderstaand venster te zien. In dit venster kunt u aangeven of u bij een volgend gebruik de tabbladen weer wilt zien of dat u alle tabbladen wilt sluiten. Is de informatie op de tabbladen in een volgende sessie nuttig dan moet u kiezen voor de eerste optie. In het andere geval sluit u de tabbladen.

1 Klik op een keuzevak of op **Tabbladen sluiten**.

Tabbladen uitzetten

Als u het niet prettig vindt om met tabbladen te werken, dan kunt u deze ook uitzetten. Voordat deze optie werkt moet u wel IE 7 opnieuw starten.

Bij de keuze **Browsen met tabbladen inschakelen**, worden de andere opties uit het venster op nonactief worden gesteld. In het venster **Instellingen voor browsen met tabbladen** kunt u allerlei keuzes maken die betrekking hebben op het gedrag van de tabbladen. De opties in dit venster spreken voor zich. Hebt u een aantal opties ingesteld maar wilt u toch terug naar de begininstellingen dan kiest u voor **Standaardwaarden herstellen**.

1 Klik op **Extra** (in de werkbalk of Menubalk).

2 Klik op **Interne-topties**.

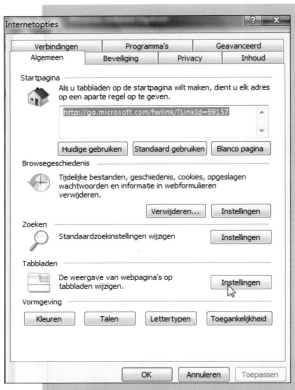

3 Klik op tabblad **Algemeen**

4 Klik bij het onderdeel **Tabbladen** op **Instellingen**.

TIP Meer informatie over de verschillende internetopties leest u in hoofdstuk 7.

5 Klik op **Browsen met tabbladen inschakelen**.

6 Dit is een aan/uit functie.

7 Klik tweemaal op **OK**.

INFO U ziet dat zodra u de optie **Browsen met tabbladen** uitschakelt, alle opties met betrekking tot het browsen met tabbladen niet meer actief zijn. U moet nu het programma opnieuw starten om deze functie werkelijk actief te maken.

Instellingen voor tabbladen

In het venster **Instellingen voor browsen met tabbladen** kunt u ook aangeven hoe het programma moet reageren als een pop-up wordt gevonden. Meer informatie over pop-ups kunt u lezen in hoofdstuk vier. Een andere handige instelling is **Koppelingen in andere programma's openen in**. Met deze optie kunt u ervoor zorgen dat de koppelingen telkens in nieuwe tabbladen worden geplaatst. Hiermee kunt u alle informatie gemakkelijk opslaan in een tabgroep.

Met de knop **Standaardwaarden** herstellen, worden alle opties weer teruggeplaatst naar de startpositie.

Zoek, vind en bewaar

3

Inleiding

Het internet is te vergelijken met een gigantische bibliotheek. Als u één voor één de miljarden beschikbare webpagina's moest bekijken voordat u de gewenste informatie zou vinden, zou het internet niet zo populair zijn. Voor het zoeken naar informatie maakt u dan ook gebruik van zoekmachines. Een zoekmachine is een computer of een aantal computers met een enorme databank waarin gegevens zijn vastgelegd over de te benaderen adressen. De zoekmachines werken met indexen en zoekrobots, databases en software die de data rangschikt. Populaire zoekmachines zijn Google, Yahoo!, Ilse en Vinden. Een nieuwkomer is de zoekmachine van Microsoft Live Search. In Internet Explorer 7 kunt u met meer zoekmachines tegelijk werken. De principes waarmee zoekmachines werken, zijn allemaal dezelfde. U voert een of meerdere woorden in een zoekvak in, bevestigt dit met [Enter], en u ziet dan de resultaten. De beste zoekresultaten krijgt u met de volgende regels:

a. Begin met een of twee woorden.
b. Voeg alleen woorden toe als er te veel woorden worden gevonden.
c. Probeer op woorddeel te zoeken.

Zoeken

In Internet Explorer 7 is het in principe niet meer nodig om eerst een zoekmachine te activeren en daarna het zoekcriterium in te voegen. Achter de adresbalk is namelijk een zoekvak toegevoegd. U typt hierin een zoekcriterium van het onderwerp dat u op het web wilt vinden en klikt op zoeken. De standaard ingestelde zoekmachine komt direct met de resultaten. U kunt in IE 7 verschillende zoekmachines instellen en er snel tussen wisselen. Wanneer u de zoekresultaten van de zoekmachines op een ander tabblad plaatst, kunt u snel de informatie van de verschillende websites vergelijken.

http://www.live.com/

Meerdere zoekmachines activeren

Wat u via de ene zoekmachine niet vindt, vindt u wel bij de andere. Het is dan ook zinvol om informatie met meerdere zoekmachines op te zoeken en de resultaten te vergelijken met die van andere zoekmachines. Het instellen van meerdere zoekmachines gaat als volgt.

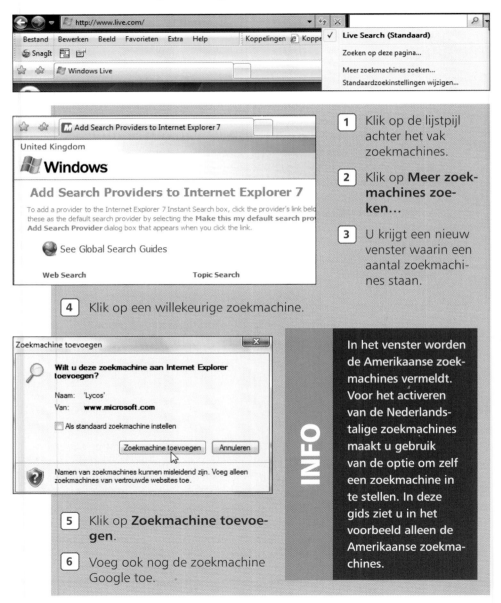

1 Klik op de lijstpijl achter het vak zoekmachines.

2 Klik op **Meer zoekmachines zoeken...**

3 U krijgt een nieuw venster waarin een aantal zoekmachines staan.

4 Klik op een willekeurige zoekmachine.

In het venster worden de Amerikaanse zoekmachines vermeldt. Voor het activeren van de Nederlandstalige zoekmachines maakt u gebruik van de optie om zelf een zoekmachine in te stellen. In deze gids ziet u in het voorbeeld alleen de Amerikaanse zoekmachines.

5 Klik op **Zoekmachine toevoegen**.

6 Voeg ook nog de zoekmachine Google toe.

Met meerdere zoekmachines zoeken

Wanneer u meerdere zoekmachines aan de lijst hebt toegevoegd, kunt u deze in de verschillende tabbladen gebruiken. Google is op dit moment de populairste zoekmachine. Maar Yahoo en Lycos komen met hetzelfde zoekcriteria met andere resultaten.

1 Typ in het zoekvak achter de adresbalk een term bijvoorbeeld Browser.

2 Druk op de toetscombinatie [Alt]+[Enter].

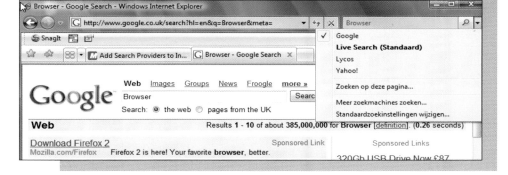

3	De resultaten worden in een het tabblad geplaatst.
4	Klik op nieuw tabblad.
5	Klik op de lijstpijl achter het vak zoekmachines.

6	Klik op een andere zoekmachine.
7	Klik op [Enter].
8	De resultaten worden in het nieuwe tabblad geplaatst.
9	Herhaal de stappen maar kies voor een andere zoekmachine.

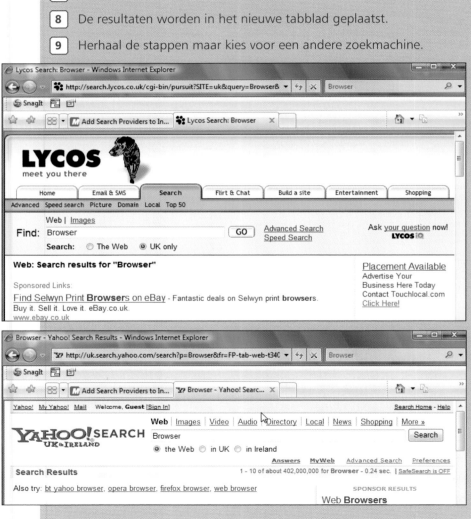

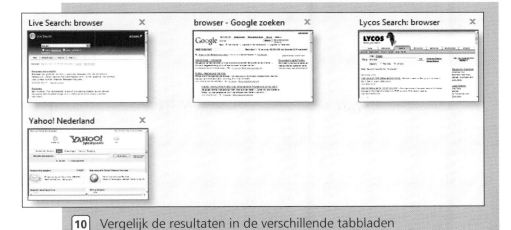

10	Vergelijk de resultaten in de verschillende tabbladen
11	U ziet dat er verschillen te zien zijn bij de verschillende zoekacties.

Standaard Zoekmachine instellen

Een ieder heeft zo zijn voorkeuren voor een zoekmachine. Met de optie **Standaardzoekinstellingen wijzigen...**, kunt u uw favoriete zoekmachine als standaard instellen. Dit betekent dat, zonder specificatie, met die zoekmachine wordt gezocht op het internet.

1 Klik op de lijstpijl achter het vak zoekmachines.

2 Klik op **Standaardzoekinstellingen wijzigen...**

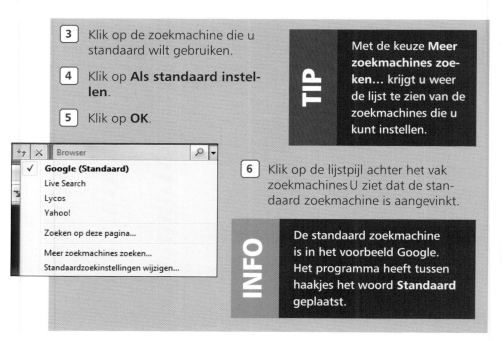

3 Klik op de zoekmachine die u standaard wilt gebruiken.

4 Klik op **Als standaard instellen**.

5 Klik op **OK**.

TIP

Met de keuze **Meer zoekmachines zoeken…** krijgt u weer de lijst te zien van de zoekmachines die u kunt instellen.

6 Klik op de lijstpijl achter het vak zoekmachines U ziet dat de standaard zoekmachine is aangevinkt.

INFO

De standaard zoekmachine is in het voorbeeld Google. Het programma heeft tussen haakjes het woord **Standaard** geplaatst.

Zelf een zoekmachine instellen

De lijst van zoekmachines die u in het venster van Explorer ziet, zijn de Engelstalige zoekmachines. U kunt zelf ook een zoekmachine instellen in het gele gedeelte van het venster. U typt het adres van de zoekmachine in het adresvak in, bij het zoekvak van de zoekmachine typt u als criterium TEST, en daarna bevestigt u deze invoer. Vervolgens kopieert u het complete url naar het invoervak bij nieuwe zoekmachine instellen.

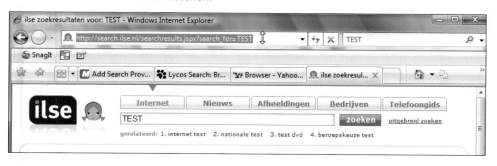

1 Open in een nieuw tabblad de zoekmachine die u wilt instellen.

2 In dit voorbeeld is het ilse.

3 Typ in het zoekvak het woord TEST

4 Het gebruik van hoofdletters is verplicht.

5 Kopieer het adresvak uit het url.

6 Klik op de lijstpijl achter het vak zoekmachines.

7 Klik op **Meer zoekmachines zoeken**.

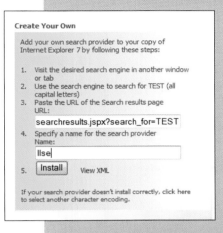

Create Your Own

Add your own search provider to your copy of
Internet Explorer 7 by following these steps:

1. Visit the desired search engine in another window
   or tab
2. Use the search engine to search for TEST (all
   capital letters)
3. Paste the URL of the Search results page
   URL:

   searchresults.jspx?search_for=TEST

4. Specify a name for the search provider
   Name:

   Ilse

5. [Install]   View XML

If your search provider doesn't install correctly, click here
to select another character encoding.

8 Plak het URL in het invoervak.

9 Typ de naam van de zoekmachine in het tweede invoervak.

10 Klik op **Install**.

INFO

Hebt u al een Amerikaanse versie van een zoekmachine geïnstalleerd dan zal er een venster verschijnen met de vraag de bestaande versie te vervangen. Bevestig deze vraag met **Ja**.

11 Klik op **Zoekmachine toevoegen**.

Zoekmachine toevoegen

Wilt u deze zoekmachine aan Internet Explorer toevoegen?

Naam: 'Ilse'
Van: **www.microsoft.com**

☐ Als standaard zoekmachine instellen

[Zoekmachine toevoegen] [Annuleren]

Namen van zoekmachines kunnen misleidend zijn. Voeg alleen
zoekmachines van vertrouwde websites toe.

12 Klik op de lijstpijl achter het vak zoekmachines.

13 U ziet dat de zoekmachine is toegevoegd.

14 Indien gewenst kunt u deze zoekmachine als standaard instellen.

Naast de standaard zoekmachines zijn er metazoekmachines. Deze zoekmachines functioneren als een intermediair; zij spelen de zoekvraag door aan de andere zoekmachines en ordenen de resultaten.

Een metazoekmachine maakt gebruik van alle ter beschikking staande zoekmachines en vuurt de zoekterm simultaan af. De resultaten kunnen op verschillende wijze gepresenteerd worden; of in een lange lijst gesorteerd op relevantie of per zoekrobot en daarbinnen weer op relevantie. http://www.metacrawler.com is een voorbeeld van zo'n site. Andere metazoekmachines zijn: http://www.vivisimo.com en http://www.Nederlandsch.net.

Zoekmachines uit lijst verwijderen

Zoekmachines die u niet meer wilt gebruiken kunt u uit de lijst van zoekmachines verwijderen.

1 Klik op de lijstpijl achter het vak zoekmachines.

2 Klik op **Standaardzoekinstellingen wijzigen**.

3 Klik op de zoekmachine die u wilt verwijderen.

4 Klik op de knop **Verwijderen**.

5 Klik op **OK**.

INFO Via **Meer zoekmachines zoeken...** kunt u teruggaan naar het venster waarin u een andere zoekmachine kunt instellen. Klik op **Annuleren** om het venster te verlaten.

Zoeken op een pagina

Met de optie **Zoeken op deze pagina...** kunt u, net als in IE6, zoeken binnen de getoonde webpagina. Hiermee vindt u sneller een specifiek woord. Er kan gezocht worden naar een specifiek woord of een onderscheid worden gemaakt tussen hoofdletters en kleine letters. Op deze manier kunt u de aangeboden informatie opnieuw filteren.

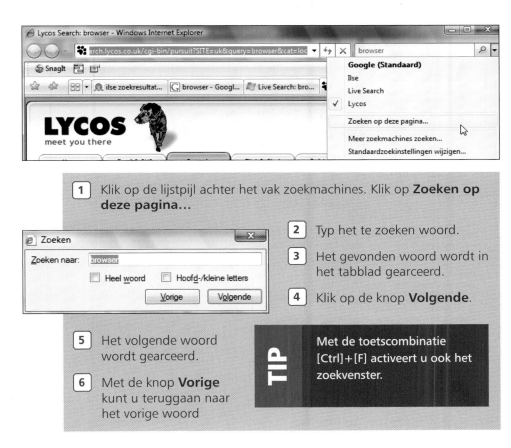

1. Klik op de lijstpijl achter het vak zoekmachines. Klik op **Zoeken op deze pagina...**

2. Typ het te zoeken woord.

3. Het gevonden woord wordt in het tabblad gearceerd.

4. Klik op de knop **Volgende**.

5. Het volgende woord wordt gearceerd.

6. Met de knop **Vorige** kunt u teruggaan naar het vorige woord

TIP

Met de toetscombinatie [Ctrl]+[F] activeert u ook het zoekvenster.

Niet zoeken vanaf de adresbalk

Het programma Internet Explorer wordt gebruikt om op het internet informatie op te zoeken. Zoeken naar de juiste onderwerpen kunt u doen door een internetadres in de adresbalk te typen of de informatie op te zoeken met een zoekmachine. Wanneer u een adres in de adresbalk intypt en op [Enter] drukt zal Explorer dit woord opzoeken via een zoekmachine. U krijgt dan een melding dat het door u ingetoetste adres niet is gevonden. Dit zoekgedrag kunt u onderdrukken door zoekinstellingen te veranderen.

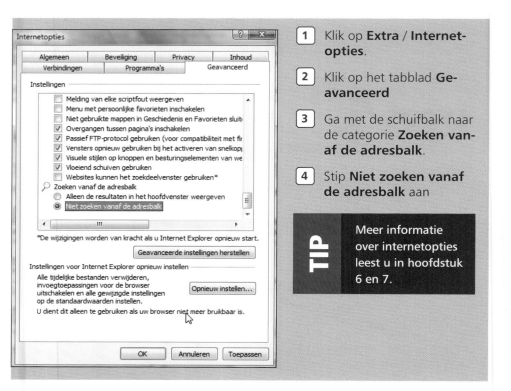

1 Klik op **Extra / Internetopties**.

2 Klik op het tabblad **Geavanceerd**

3 Ga met de schuifbalk naar de categorie **Zoeken vanaf de adresbalk**.

4 Stip **Niet zoeken vanaf de adresbalk** aan

TIP Meer informatie over internetopties leest u in hoofdstuk 6 en 7.

Tips voor het zoeken op internet

Gebruik het vak **Zoeken**.

Gebruik meer dan één zoekmachine.

Zoek op specifieke termen in plaats van op algemene categorieën. Zoek bijvoorbeeld niet op katten, maar op een specifiek kattenras.

Zoek naar specifieke woordgroepen met behulp van aanhalingstekens. Door aanhalingstekens voor en achter een woordgroep te plaatsen beperkt u de zoekresultaten tot die webpagina's die de exacte woordgroep bevatten.

Typ in het zoekvak het minteken voor het woord dat u niet in de resultaten wilt zien. Er mogen geen spaties staan tussen de tekens en de zoektermen (bijvoorbeeld -main coon, en niet – main coon). Laat woorden als "een", "de" of "mijn" weg, tenzij u een specifieke titel zoekt. Als het woord onderdeel is van iets dat u zoekt (bijvoorbeeld een songtitel), vermeldt u het woord wel en plaatst u aanhalingstekens voor en achter de woordgroep.

ZOEK, VIND EN BEWAAR

Gebruik synoniemen of alternatieve zoektermen. Wees creatief of gebruik een synoniemenwoordenboek om op ideeën te komen. Type synoniemenlijst in het zoekvak om een online synoniemenlijst te zoeken.

Zoek op een bepaalde website of in een bepaald domein. Typ de term die u zoekt in, gevolgd door site en het adres van de website waarop u wilt zoeken. Zo beperkt u de zoekactie tot één specifieke website. Als u bijvoorbeeld op de Microsoft-website wilt zoeken naar informatie over virussen, typt u virus site: www.microsoft.com.

Veel websites bevatten eigen gespecialiseerde zoekfuncties, waarmee u kunt zoeken naar op de site aangeboden artikelen of informatie.

Favorieten

Zoals in de vorige versies van Internet Explorer kunt u met de optie **Favorieten** hyperlinks (verwijzingen) opslaan van de websites die u de moeite waard vindt om naar terug te gaan. De knoppen voor het raadplegen van de favorieten en het toevoegen van favorieten staan links van de tabbladen. De knop in de vorm van een ster wordt het **Favorietencentrum** genoemd. Hiermee opent u een venster waarin u ziet welke favorieten er zijn opgeslagen. Met de knop met het groene plusteken voegt u favorieten toe of deelt u de favorieten in.

De hyperlinks die u opslaat in het **Favorietencentrum** worden opgeslagen in een map op uw computer. Deze map is, zoals alle andere mappen van Windows, goed te organiseren. Zo kunt u er submappen in maken, mappen hernoemen, wissen en hyperlinks weer verwijderen. Kortom u houdt een beter overzicht van de informatie die u regelmatig wilt raadplegen.

In het **Favorietencentrum** zijn standaard vier mappen aanwezig. Een map waarin alle hyperlinks van de werkbalk koppelingen staan. Een map waarin de Microsoft websites zijn opgeslagen. Een map met de Microsoft Netwerk-websites en een map met Windows Live. Dit is een nieuwe webservice van Microsoft.

Standaard Favorieten bekijken

De mappen en de hyperlinks die bij de installatie van Internet Explorer 7 al in het **Favorietencentrum** zijn geplaatst, kunt u bekijken door op de mappen en koppelingen te klikken. De website opent zich dan in het actieve tabblad.

1 Klik op **Favorietencentrum**.

2 Klik op een van de mappen.

3 De inhoud wordt getoond.

Favoriet toevoegen

Hebt u een update van Internet Explorer geïnstalleerd dan zijn de favorieten die u bij de vorige versie had opgeslagen automatisch overgenomen. Hebt u nog niet eerder met favorieten gewerkt dan is dit een goed moment.

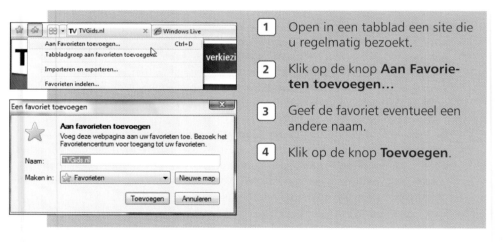

1 Open in een tabblad een site die u regelmatig bezoekt.

2 Klik op de knop **Aan Favorieten toevoegen...**

3 Geef de favoriet eventueel een andere naam.

4 Klik op de knop **Toevoegen**.

Favorieten bekijken

De favorieten die u hebt vastgelegd, kunt u bekijken door op de knop **Favorieten** te klikken. In dit venster krijgt u alle opgeslagen favorieten te zien en kunt u ook de favorieten beheren. Door op de favoriet te klikken, wordt direct de website weer geopend.

1. Klik op de knop **Favorieten-centrum**.

2. Klik op de website die u wilt openen.

3. De pagina wordt in het geopende tabblad geplaatst.

TIP Als u de webpagina's niet toegevoegd hebt aan de lijst **Favorieten** kunt u via **Geschiedenis** de pagina opzoeken en alsnog toevoegen aan de favorieten. Hoe u de optie **Geschiedenis** kunt gebruiken leest u verderop.

Favorieten beheren

Bij het regelmatige toevoegen van hyperlinks zal de lijst van favorieten al snel onoverzichtelijk worden. Het is dan raadzaam om de favorieten in te delen in categorieën en deze onder te brengen in mappen. In deze mappen kunt u desgewenst weer submappen maken zoals u gewend bent in Windows. U maakt bijvoorbeeld een map met de naam Muziek in deze map maakt u weer submappen per artiest.

Map maken

De stappen voor het maken van mappen zijn als volgt:

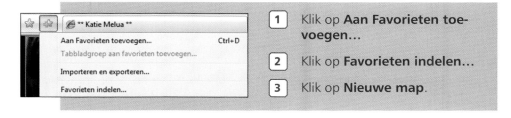

1. Klik op **Aan Favorieten toevoegen...**

2. Klik op **Favorieten indelen...**

3. Klik op **Nieuwe map**.

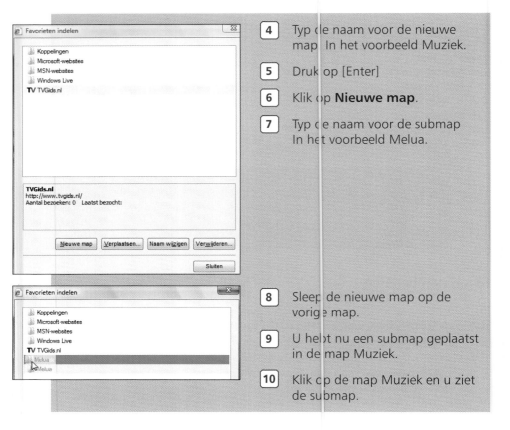

4. Typ de naam voor de nieuwe map. In het voorbeeld Muziek.

5. Druk op [Enter]

6. Klik op **Nieuwe map**.

7. Typ de naam voor de submap In het voorbeeld Melua.

8. Sleep de nieuwe map op de vorige map.

9. U hebt nu een submap geplaatst in de map Muziek.

10. Klik op de map Muziek en u ziet de submap.

Favorieten verplaatsen

Zodra u een map heeft gemaakt, kunt u de hyperlinks naar deze map verplaatsen. Dit kunt u doen door de hyperlink naar de map te slepen of de knop **Verplaatsen** te gebruiken. Welke methode u gebruikt hangt af van uw persoonlijke voorkeur.

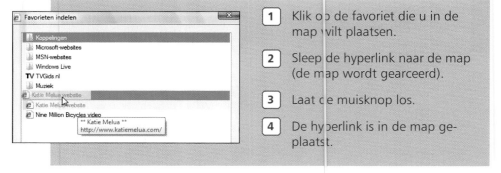

1. Klik op de favoriet die u in de map wilt plaatsen.

2. Sleep de hyperlink naar de map (de map wordt gearceerd).

3. Laat de muisknop los.

4. De hyperlink is in de map geplaatst.

5 Op deze manier kunt u alle favorieten van bepaalde onderwerpen bijeen brengen.

Naam wijzigen

U kunt een favoriet een willekeurige naam geven en deze desgewenst wijzigen.

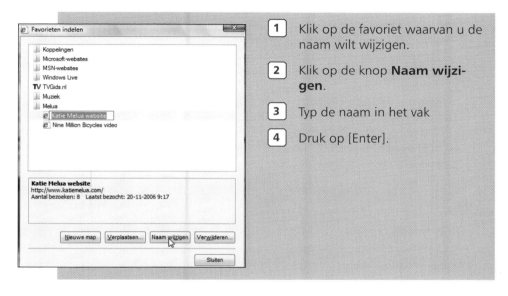

1 Klik op de favoriet waarvan u de naam wilt wijzigen.

2 Klik op de knop **Naam wijzigen**.

3 Typ de naam in het vak

4 Druk op [Enter].

Mappen verwijderen

Zodra u een map overbodig is geworden kunt u deze met de knop **Verwijderen** wissen. Bedenk wel dat u dan ook de inhoud van de map wist.

1 Selecteer de map die u wilt verwijderen.

2 Klik op de knop **Verwijderen**.

3 Klik in het venster **Map verwijderen** op **Ja**.

Favorieten importeren of exporteren

Als u Internet Explorer op meerdere computers gebruikt, kunt u op eenvoudige wijze favoriete items uitwisselen tussen computers door deze items te importeren. De favorieten kun u ook exporteren naar andere browsers, zo houdt u uw favorieten actueel in de verschillende programma's. Geëxporteerde favorieten worden opgeslagen als HTML-bestanden.

U kunt een geselecteerde map in uw lijst **Favorieten** exporteren of u kunt al uw favorieten exporteren. Het bestand met geëxporteerde favorieten is vrij klein, dus als u het wilt delen met anderen kunt u het ook kopiëren naar een diskette of map op een netwerk of het als bijlage toevoegen aan een e-mailbericht. Het stappenplan is als volgt.

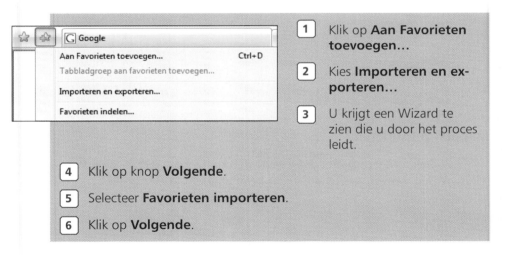

1 Klik op **Aan Favorieten toevoegen...**

2 Kies **Importeren en exporteren...**

3 U krijgt een Wizard te zien die u door het proces leidt.

4 Klik op knop **Volgende**.

5 Selecteer **Favorieten importeren**.

6 Klik op **Volgende**.

In Internet Explorer worden favorieten standaard geïmporteerd uit een bestand met de naam Bladwijzers.htm in uw map **Documenten**, maar u kunt ook favorieten importeren die zijn opgeslagen in een bestand met een andere naam.

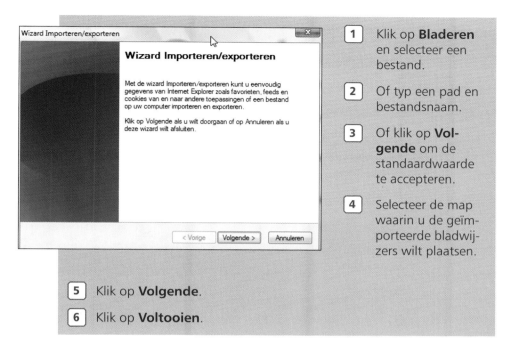

1 Klik op **Bladeren** en selecteer een bestand.

2 Of typ een pad en bestandsnaam.

3 Of klik op **Volgende** om de standaardwaarde te accepteren.

4 Selecteer de map waarin u de geïmporteerde bladwijzers wilt plaatsen.

5 Klik op **Volgende**.

6 Klik op **Voltooien**.

> **TIP**
>
> Als u favorieten wilt delen of naar een andere computer wilt verplaatsen, exporteert of kopieert u het bestand Bladwijzers.htm naar een schijf- of USB-stick. Vervolgens importeert u de favorieten vanaf het schijf- of flashstation naar de nieuwe computer. Favorieten uit vorige versies van Internet Explorer kunt u naar deze versie importeren. Als u een lijst met uw favorieten wilt afdrukken, opent u Bladwijzers.htm in Internet Explorer en klikt u op de knop **Afdrukken**.

Favorieten verwijderen

Websites die u niet meer bekijkt, kunt u natuurlijk uit de lijst van favorieten verwijderen. Ook dit doet u in het venster **Favorieten Organiseren**.

1. Klik op de knop **Favorieten toevoegen**.

2. Selecteer de favoriet die u wilt verwijderen.

3. Klik op de knop **Verwijderen**.

4. Klik in het vervolgvenster bestand verwijderen op **Ja**.

TIP

Breng de favorieten zoveel mogelijk onder in mappen en submappen. Hierdoor blijft de informatie overzichtelijk.

Naast de webpagina's zijn er ook portaalsites (portals in het Engels) . Dit zijn webpagina's die dienst doen als toegangspoort tot andere websites, die over hetzelfde onderwerp gaan. Een webportaal bestaat meestal uit een overzichtstabel voor verdere navigatie binnen een onderwerp. Het is handig om portalen van onderwerpen waarop u vaak surft toe te voegen aan uw favorieten.

RSS

De meeste websites worden goed onderhouden, dit betekent dat er regelmatig nieuwe informatie wordt toegevoegd. Het is tijdrovend om telkens een website na te lopen op het laatste nieuws of de bijgewerkte informatie. Veel sites brengen daarom de laatste toevoegingen/wijzigingen in syndicatie. Met andere woorden de wijzigingen of toevoegingen worden in hoofdlijnen weergegeven met een link naar de echte pagina. Voor het bekijken van deze toevoegingen/wijzigingen maakt u gebruik van een RSS reader. RSS staat voor Really Simple Syndication (extreem eenvoudige publicatie) ook wel feeds genoemd. Bij de vorige versies van Internet Explorer was nog een aparte RSS-reader nodig. Maar in IE 7 is een standaardlezer voor RSS feeds ingebouwd.

Zodra u een website opent die RSS feeds aanbiedt zoek Internet Explorer naar feeds. Als er feeds beschikbaar zijn, verandert in de werkbalk de knop **Feeds** van kleur en krijgt u een toon te horen. Met de lijstpijl achter de knop feeds krijgt u de onderwerpen te zien die nieuw zijn. Als u de inhoud automatisch wilt opha-len, moet u zich abonneren op een feed. Deze abonnementen zijn doorgaans gratis. Voor het gebruik van RSS maakt Internet Explorer 7 gebruik van een cen-trale database voor de opslag van de feed-abonnementen. Deze database, die na installatie van IE7 onderdeel uitmaakt van Windows, is toegankelijk voor RSS feed-applicaties van derden, zoals Feedreader of Sharpreader.

INFO
Feeds kunnen ook worden gebruikt voor het leveren van audio (doorgaans in MP3-indeling) of videobestanden die u kunt be-luisteren op uw computer of MP3-speler. Dit wordt podcasting genoemd.

TIP
Er zijn ook RSS-readers voor de mobiele telefoon en pda's gemaak-te RSS-readers. De meest gebruikte readers in deze categorie zijn: PocketRSS (voor PocketPC), HandRSS (voor Palm), Cabot (voor Sony Ericsson P800 / P900), FreeNews.

Website openen met feeds en abonneren op de feed

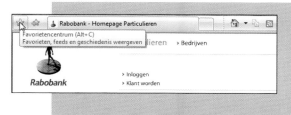

1 Ga naar de website met de feed waarop u zich wilt abonneren. Bijvoor-beeld Rabo.nl.

2 Klik op **Feeds** om de feeds op de webpagina te zoeken.

3 Klik op de gewenste feed. Als er meerdere feeds beschikbaar zijn ziet u een lijstpijl). Als slechts één feed beschikbaar is, gaat u recht-streeks naar die pagina.

Abonneren op de feeds

Wilt u de feeds bekijken en op de hoogte blijven van de feeds dan moet u zich aanmelden (abonneren). Wanneer u voor de eerste keer een feed opent, wordt gevraagd een abonnement te nemen op deze feed. Dit gaat eenvoudig door op **Abonneren op deze feed** te klikken.

Het abonneren op RSS-feeds gaat anoniem, u hoeft geen e-mailadres op te geven en loopt dus ook niet het risico op spam of virussen.

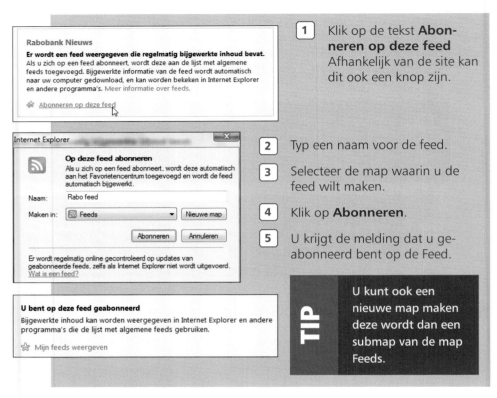

1 Klik op de tekst **Abonneren op deze feed** Afhankelijk van de site kan dit ook een knop zijn.

2 Typ een naam voor de feed.

3 Selecteer de map waarin u de feed wilt maken.

4 Klik op **Abonneren**.

5 U krijgt de melding dat u geabonneerd bent op de Feed.

TIP U kunt ook een nieuwe map maken deze wordt dan een submap van de map Feeds.

Beschikbare feeds weergeven

Zodra u zich geabonneerd heeft op de feeds, krijgt u automatisch een melding als de site is bijgewerkt. De feeds zelf worden onderbracht is bij het **Favorietencentrum**. Klikt u in dit venster op **Feeds** dan ziet u de toegevoegde feed. Net als de favorieten kunt u de feeds indelen in mappen en submappen. Zodra u een site opent met feeds waarop u geabonneerd bent, krijgt u automatisch een bericht dat er nieuwe informatie wordt aangeboden.

1 Klik op **Mijn feeds weergeven**.

2 Wanneer u voor de eerste keer een feed opent wordt tevens het **Favorietencentrum** geopend. Dit kunt u sluiten door op de knop **Favorieten** te klikken.

INFO

De meest gebruikte indelingen voor feeds zijn RSS en Atom. De indelingen voor feeds worden doorlopend bijgewerkt met nieuwe versies. Internet Explorer ondersteunt RSS 0.91, 1.0 en 2.0, en ATOM .3, 1.0. Alle webfeed-indelingen zijn gebaseerd op XML (Extensible Markup Language), een op tekst gebaseerde computertaal die wordt gebruikt voor het beschrijven en distribueren van gestructureerde gegevens en documenten.

Feeds verwijderen

Hebt u geen belangstelling meer voor een feed, dan kunt u deze verwijderen. U kunt ook besluiten om de gehele site te verwijderen uit de lijst van feeds.

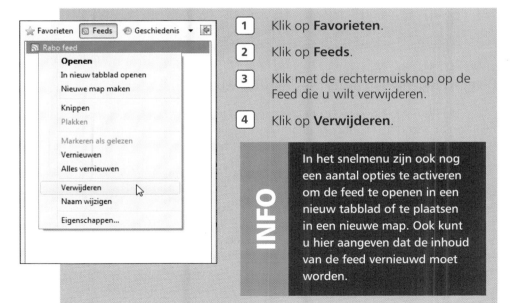

1 Klik op **Favorieten**.

2 Klik op **Feeds**.

3 Klik met de rechtermuisknop op de Feed die u wilt verwijderen.

4 Klik op **Verwijderen**.

INFO

In het snelmenu zijn ook nog een aantal opties te activeren om de feed te openen in een nieuw tabblad of te plaatsen in een nieuwe map. Ook kunt u hier aangeven dat de inhoud van de feed vernieuwd moet worden.

Geschiedenis

Als u een van de webpagina's wilt zien die u in de afgelopen 20 dagen hebt bezocht, kunt u de lijst **Geschiedenis** gebruiken:

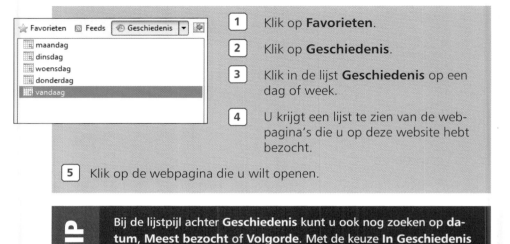

1 Klik op **Favorieten**.

2 Klik op **Geschiedenis**.

3 Klik in de lijst **Geschiedenis** op een dag of week.

4 U krijgt een lijst te zien van de webpagina's die u op deze website hebt bezocht.

5 Klik op de webpagina die u wilt openen.

> **TIP** Bij de lijstpijl achter **Geschiedenis** kunt u ook nog zoeken op **datum, Meest bezocht** of **Volgorde**. Met de keuze **In Geschiedenis zoeken** kunt u naar een bepaald woord in de websites zoeken.

De geschiedenis van bezochte websites wissen

In Internet Explorer wordt de geschiedenis opgeslagen van alle websites die u hebt bezocht. U kunt deze informatie verwijderen om ruimte op de vaste schijf vrij te maken of om uw privacy te beschermen.

1 Klik op **Extra / Internetopties**.

2 Klik op het tabblad **Algemeen**.

3 Klik bij de rubriek Browserge-schiedenis op **Verwijderen**.

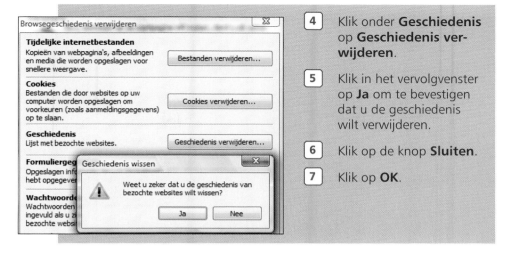

Windows live

Onder de naam Windows Live heeft Microsoft de webservices uitgebreid en vernieuwd. De services Messenger, Hotmail, Spaces en Search hebben een nieuwe naam gekregen, namelijk Windows Live Messenger, Windows Live Mail, Windows Live Spaces en Windows Live Search. Ook zijn er nieuwe services geïntroduceerd onder de naam Windows Live waarmee u toegang kunt krijgen tot populaire internetpagina's en op de hoogte wordt gehouden van andere actualiteiten.

Met Windows Live Mail kunt u nu net zo snel werken als met u standaard maileditor, maar dan wereldwijd.

Binnen Windows Live Messenger kunt u als gebruiker naast alle bestaande functies ook beschikken over bellen van de pc naar de telefoon. Met **Live Contactpersonen** kunt u onderling bestanden delen met uw contactpersonen.

Bij het schrijven van deze snelgids zijn nog niet alle services actief. Wilt u de laatste stand van zaken weten, surf dan naar http://www.get.live.com.

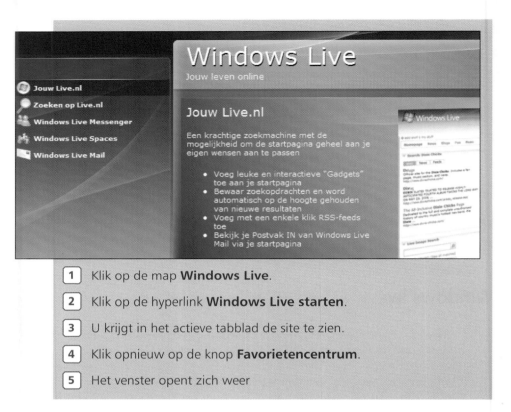

1 Klik op de map **Windows Live**.

2 Klik op de hyperlink **Windows Live starten**.

3 U krijgt in het actieve tabblad de site te zien.

4 Klik opnieuw op de knop **Favorietencentrum**.

5 Het venster opent zich weer

Offline werken

Offline wil zeggen dat u de website pagina's bekijkt zonder verbonden te zijn met het internet. Dit offline werken is voor degene die een ASDL- of ISDN-verbinding hebben niet interessant. Maar wie op het internet surft met een inbelverbinding en modem kan de telefoonrekening tijdens het bekijken van de webpagina's beperken. Het betreft echter alleen pagina's die u al eerder hebt bezocht. Elke webpagina wordt namelijk opgeslagen in een map op uw computer.

Het offline werken gaat als volgt:

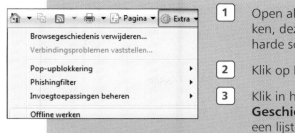

1 Open alle pagina's op die u wilt bekijken, deze worden automatisch op uw harde schijf opgeslagen.

2 Klik op **Extra / Offline werken**.

3 Klik in het **Favorietencentrum** op **Geschiedenis / Vandaag**. U krijgt een lijst met alle pagina's die u eerder bezocht hebt. Deze kunt u nu openen zonder dat er een verbinding is.

INFO

Soms zijn niet alle afbeeldingen te zien, maar als die belangrijk zijn, kunt u deze pagina weer openen met een online verbinding. Als u ervoor kiest offline te werken, wordt Internet Explorer altijd opgestart in de modus Offline totdat u opnieuw op Offline werken klikt.

Bepaal zelf wat u ziet

4

Inleiding

Surfen op internet betekent heel veel informatie opzoeken, maar betekent ook veel ongevraagde informatie krijgen. Bij Internet Explorer 7 kunt u een aantal instellingen maken waardoor uzelf bepaalt welke informatie u wel of niet wilt zien. Dit begint met het bepalen van de homepage en eindigt met het blokkeren van ongewenste pop-ups of invoegtoepassingen.

Homepage

Internet Explorer start altijd met dezelfde webpagina. Dit wordt de **Startpagina** genoemd. Bij de installatie van IE 7 is automatisch de webpagina van Microsoft als startpagina ingesteld. Deze homepage kunt u wijzigen in een website die u het meest gebruikt of waarmee u snel toegang krijgt tot informatie die u wilt. U verandert de homepage door de volgende stappen uit te voeren.

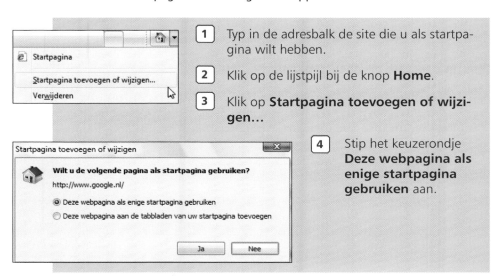

1 Typ in de adresbalk de site die u als startpagina wilt hebben.

2 Klik op de lijstpijl bij de knop **Home**.

3 Klik op **Startpagina toevoegen of wijzigen...**

4 Stip het keuzerondje **Deze webpagina als enige startpagina gebruiken** aan.

Het pop-up venster

Wanneer u surft, verschijnen er bij sommige webpagina's spontaan kleine venstertjes bovenop de webpagina. Deze venstertjes worden pop-up's genoemd. Een pop-upvenster opent spontaan ongeacht of u deze wilt bekijken of niet en bevat meestal reclametekst. Een pop-up is dan een storend element omdat u het venster eerst moet sluiten om verder te surfen. Dergelijke pop-ups kunnen ook een bron van spyware vormen. Spyware is software die gegevens over het gebruik van uw computer kopiëren en doorsturen naar anderen die deze gegevens doorverkopen naar bijvoorbeeld marketingbedrijven. De gegevens die worden doorverkocht zijn bijvoorbeeld mailadressen, gegevens over de pagina's die u bezoekt en hoelang, de programma's die u gebruikt enzovoort. Het gaat dus om privé-gegevens, die u hoogstwaarschijnlijk niet bekend wilt maken.

Er zijn ook pop-ups die behoren tot de website. Deze pop-ups kunt u zelf openen of worden geopend omdat u bepaalde informatie moet invoeren voordat u verder kunt gaan. Zo kunt u bijvoorbeeld via een pop-up een overzicht van de beschikbare plaatsen in de schouwburg als u online kaartjes koopt of een grotere weergave van een afbeelding als u online winkelt. Dergelijke pop-ups hebben dus een meerwaarde voor de website en zijn doorgaans betrouwbaar.

Pop up vensters in- of uitschakelen

Bij de standaardinstallatie van het programma IE 7 is de pop-upblokkering ingeschakeld. Dit betekent dat u geen pop-up te zien krijgt. Met de optie **Pop-upblokkering** kunt u de weergave in of uitschakelen.

1 Klik op **Extra / Pop-upblokkering**.

2. Klik op **Pop-upblokkering inschakelen**

3. Klik op het vervolgvenster op **Ja**.

INFO

Misschien is de Pop-up blokkering bij u al ingeschakeld. Het is wel een vrij ongenuanceerde instelling die alle pop-up zal blokkeren. Het is dan ook verstandig om de instellingen van de pop-upblokkering aan te passen.

Geblokkeerde pop-up bekijken

Bij blokkering van de pop-upvensters krijgt u, zodra een pop-up aan een knop of website is verbonden, een melding te zien dat de pop-up geblokkeerd is. U kunt het pop-up venster alsnog activeren door op de melding te klikken en kiezen voor activeren.

1. Open een site waarvan u weet dat deze pop-ups gebruiken, in het voorbeeld Loohuisantiek.nl.

2. Klik op een hyperlink van de site.

3. Als de hyperlink is verbonden met een pop-up, krijgt u een informatievenster met de melding dat er een pop-up wordt geblokkeerd. Ook in een extra balk wordt melding gemaakt van de geblokkeerde pop-up.

4 Klik in het informatievenster op **Sluiten**.

> **INFO** Als u niet zeker weet of de site betrouwbaar is, open de pop-up dan niet.

5 Klik met de rechter muisknop op de melding van de pop-up. U krijgt de volgende keuzes.

Keuze	Resultaat
Pop-ups tijdelijk toestaan	Pop-ups mogen alleen in sessie worden getoond
Pop-ups van deze website altijd toestaan	Pop-ups worden zonder belemmering getoond en de sitenaam wordt in de lijst van toegestane websites geplaatst.
Instellingen	Pop-upblokkering kunt u weer uitschakelen. De informatiebalk voor pop-ups weergeven. Specifieke instellingen invoeren (zie volgende paragraaf).
Meer informatie	U opent het venster **Help en ondersteuning** waarin u relevante informatie wordt aangeboden.

6 Kiest u voor **Pop-ups van deze website altijd toestaan**, dan krijgt u nog een bevestigingsvenster.

Klik op **Ja**.

7 De pop-up wordt getoond.

8 U kunt deze weer sluiten met het sluitsymbool zoals u gewend bent bij alle andere vensters.

Hebt u de Pop-upblokkering ingeschakeld, maar ziet nog steeds bepaalde pop-ups, dan is het mogelijk dat u op uw computer software, zoals spyware of adware is geïnstalleerd waarin is aangegeven dat bepaalde pop-ups wel mogen verschijnen. IE7 houdt zich hieraan. Om ervoor te zorgen dat de pop-ups niet worden geopend, moet u bij deze onderdelen de pop-ups ook blokkeren. Het is ook mogelijk dat de pop-ups een onderdeel zijn van de websites van het lokale intranet of op vertrouwde plaatsen van de veiligheidszones staan (kijk hiervoor bij hoofdstuk 6).

Instellingen voor pop-upvensters

Niet alle pop-ups mogen geblokkeerd worden, sommige bevatten namelijk belangrijke informatie. Denk hierbij aan de pop-up die verschijnen bij internet bankieren of informatiesites die u regelmatig raadpleegt. Om de pop-ups van deze sites automatisch te laten verschijnen, stelt u bij de optie pop-up blocker een lijst samen. U voert hiervoor de volgende stappen uit.

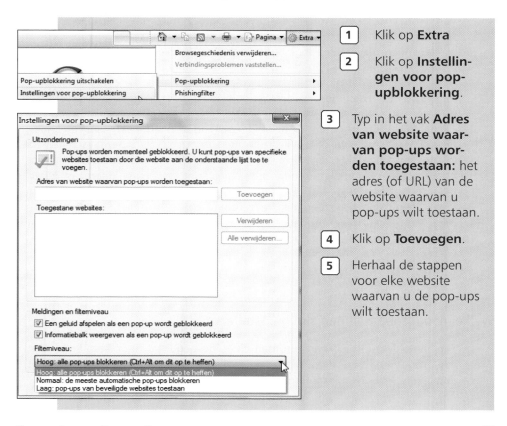

1   Klik op **Extra**

2   Klik op **Instellingen voor pop-upblokkering**.

3   Typ in het vak **Adres van website waarvan pop-ups worden toegestaan:** het adres (of URL) van de website waarvan u pop-ups wilt toestaan.

4   Klik op **Toevoegen**.

5   Herhaal de stappen voor elke website waarvan u de pop-ups wilt toestaan.

6 Klik bij de lijstpijl bij **Filterniveau**.

7 Hier kunt u aangeven wanneer de pop-ups wel mogen verschijnen

8 Kies voor de optie: **Laag: pop-ups van beveiligde websites toestaan**.

9 Klik op **Sluiten**.

Invoegtoepassingen

De functionaliteit van Internet Explorer kunt u verhogen door invoegtoepassingen toe te voegen, dit worden ook wel Add-ons genoemd. Invoegtoepassingen kunnen bijvoorbeeld extra werkbalken zijn of bewegende muisaanwijzers en allerlei andere zaken waardoor surfen leuker of effectiever wordt. De meeste invoegtoepassingen haalt u af van het internet. U moet dan eerst uw toestemming geven voordat zij worden gedownload worden naar uw computer. Sommige invoegtoepassingen worden gedownload zonder dat u het weet. Dit kan gebeuren als u eerder toestemming hebt gegeven voor alle downloads van een bepaalde website of omdat de invoegtoepassing deel uitmaakte van een ander programma dat u hebt geïnstalleerd. Andere worden weer automatisch geïnstalleerde met een update van Microsoft Windows. Microsoft heeft een aantal programma's gescreend die u zonder problemen kunt toevoegen, daarnaast heeft uw internetprovider vaak al een filter ingebouwd zodat er geen onbetrouwbare invoegtoepassingen worden geïnstalleerd. Invoegtoepassingen kunnen in de meeste gevallen zonder problemen worden gebruikt, maar soms leiden zij ertoe dat Internet Explorer onverwacht wordt afgesloten. Dit kan gebeuren als de invoegtoepassing slecht is ontworpen of is gemaakt voor een eerdere versie van Internet Explorer.

Welke invoegtoepassingen zijn geïnstalleerd?

Een aantal add-ons worden automatisch toegevoegd. Dit zijn meestal add-ons van programma's die al op uw computer zijn geïnstalleerd. Daarnaast worden een aantal add-ons door Internet Explorer gebruikt.

Om te zien welke software al is toegevoegd voert u de volgende stappen uit:

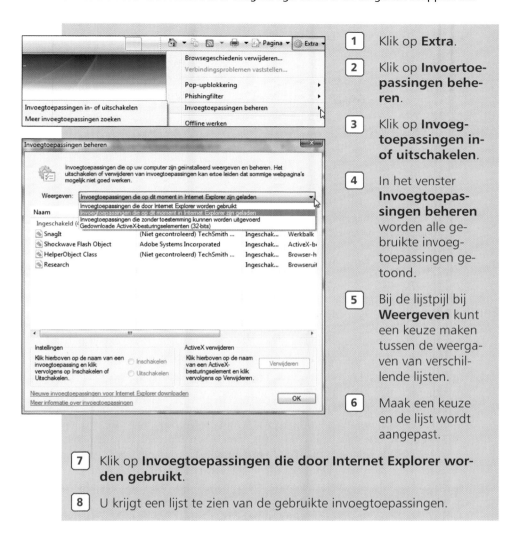

1. Klik op **Extra**.

2. Klik op **Invoertoe-passingen behe-ren**.

3. Klik op **Invoeg-toepassingen in- of uitschakelen**.

4. In het venster **Invoegtoepas-singen beheren** worden alle ge-bruikte invoeg-toepassingen ge-toond.

5. Bij de lijstpijl bij **Weergeven** kunt een keuze maken tussen de weerga-ven van verschil-lende lijsten.

6. Maak een keuze en de lijst wordt aangepast.

7. Klik op **Invoegtoepassingen die door Internet Explorer wor-den gebruikt**.

8. U krijgt een lijst te zien van de gebruikte invoegtoepassingen.

Een invoegtoepassing uitschakelen

Wanneer u vindt dat een invoegpassing hinderlijk werkt of niet meer nodig is, dan kunt u deze uitschakelen. Invoegtoepassingen kunnen in dit venster wel worden uitgeschakeld, maar niet worden verwijderd.

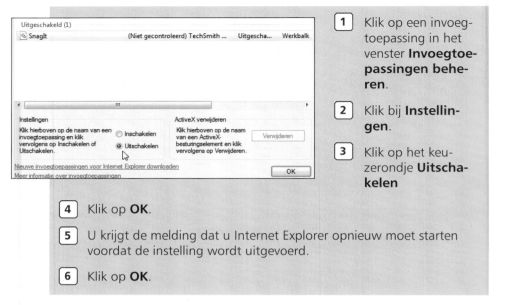

1 Klik op een invoeg-toepassing in het venster **Invoegtoe-passingen behe-ren**.

2 Klik bij **Instellin-gen**.

3 Klik op het keu-zerondje **Uitscha-kelen**

4 Klik op **OK**.

5 U krijgt de melding dat u Internet Explorer opnieuw moet starten voordat de instelling wordt uitgevoerd.

6 Klik op **OK**.

Een invoegtoepassing opnieuw inschakelen

U kunt een invoegtoepassing weer inschakelen als u dat noodzakelijk acht of als u een site wilt bekijken waarvoor deze invoegtoepassing is vereist.

1 Klik in het venster **Invoegtoepassingen beheren**

2 Op de invoegtoepassing die u wilt inschakelen.

3 Stip het keuzerondje **Inschakelen** aan

INFO

• In het venster **Invoegtoepassingen beheren** is een kolom **Uitge-ver**. Hierin kan de aanduiding **(Niet gecontroleerd)** staan. Dit wil niet altijd zeggen dat dit een onveilige invoegtoepassing is maar dat de invoegtoepassing zelf niet digitaal ondertekend is, ook al is het mogelijk dat het programma waarmee de invoegtoepassing is geïnstalleerd dat wel is. (zie voor digitale ondertekening hoofdstuk 6).

ActiveX-invoegtoepassingen

ActiveX-besturingselementen en invoegtoepassingen zijn kleine programma's die worden gebruikt bij websites om het surfen makkelijker te maken en animaties te laten werken. Soms blokkeert IE 7 automatisch het gebruik van een ActiveX-besturingselement als bij automatische controle blijkt dat de website waarvan het besturingselement afkomstig is, niet veilig is. In bepaalde gevallen kunnen deze programma's namelijk gebruikt worden om informatie op uw computer te verzamelen, gegevens op de computer beschadigen, software op uw computer te installeren of zonder uw toestemming iemand anders in staat stellen de computer op afstand te besturen.

Gezien deze risico's moet u ActiveX-besturingselementen en invoegtoepassingen voor webbrowsers alleen installeren als u de uitgever en de website waarop ze worden aangeboden, volledig vertrouwt. Zodra Internet Explorer het ActiveX-besturingselement blokkeert, wees dan kritisch of u het programma wel wilt installeren.

U kunt uzelf dan de vraag stellen. Waarvoor is het besturingselement bedoeld en wat doet het op de computer? Bij vertrouwde websites kunt u informatie vinden over de functie van het ActiveX-besturingselement en eventuele bijzonderheden die u moet weten voordat u het besturingselement installeert. Als deze informatie niet beschikbaar is, kunt u het ActiveX-besturingselement beter niet installeren. Om te zien welke ActiveX-invoegtoepassingen zijn geïnstalleerd voert u de volgende handelingen uit:

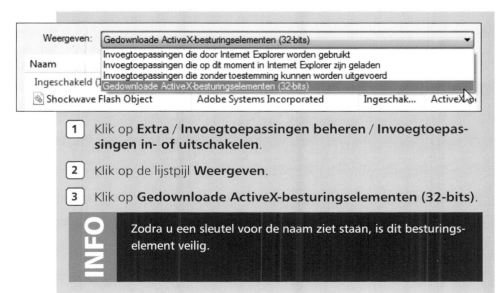

1. Klik op **Extra / Invoegtoepassingen beheren / Invoegtoepassingen in- of uitschakelen**.

2. Klik op de lijstpijl **Weergeven**.

3. Klik op **Gedownloade ActiveX-besturingselementen (32-bits)**.

> **INFO** Zodra u een sleutel voor de naam ziet staan, is dit besturingselement veilig.

Invoegtoepassingen rubriceren en sorteren

U kunt in het venster **Invoegtoepassingen beheren** de getoonde gegevens nog meer kolommen toevoegen waarmee u extra informatie krijgt. Klik met de rechtermuisknop op een kop in de tabel en u krijgt de keuzes te zien. Door in het getoonde snelmenu de keuze te maken door erop te klikken, wordt de kolom met informatie toegevoegd. Door het snelmenu opnieuw te openen en opnieuw op de keuze te klikken wordt de rubriek weer uit de tabelkop verwijderd.

1 Klik met de rechter-muisknop op een kolomkop.

2 Maak een keuze.

3 De kolom met informatie verschijnt.

Voor het sorteren klikt u op een naam van de tabelkop, u krijgt dan een lijstpijl te zien.

1 Klik aan de rechterkant van een kolomkop.

2 Maak uw keuze.

Invoegtoepassingen toevoegen

U kunt ook zelf invoegpassingen toevoegen. Microsoft heeft een aantal veilige invoegtoepassingen voor u geselecteerd. Om te kijken welke dit zijn, voert u de volgende stappen uit:

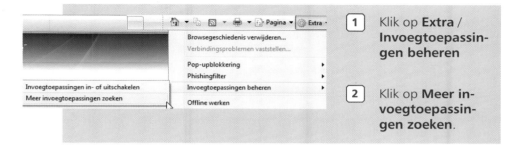

1 Klik op **Extra / Invoegtoepassingen beheren**

2 Klik op **Meer invoegtoepassingen zoeken**.

U krijgt de website van Microsoft te zien waar de invoegtoepassingen (add-ons) op verschillende tabladen zijn gerubriceerd.

Kijk zelf of er iets voor u bij is. Een aantal invoegtoepassingen zijn gratis voor anderen moet u betalen. Zodra u op **Download** klikt krijgt u een venster te zien, waarin u kunt kiezen om de invoegtoepassing direct uit te voeren of op te slaan. Bij uitvoeren wordt de invoegtoepassing direct geïnstalleerd en volgt u de aanwijzingen in de vensters. Wilt u de toepassing niet installeren, dan kiest u voor **Annuleren**.

Printen in IE 7

5

Het printen van websites is in IE 7 veranderd, zo verkleint IE 7 automatisch de tekst van de webpagina, zodat alle inhoud op de afdruk past. Onder de knop **Afdrukken** vindt u de optie **Afdrukvoorbeeld** waarmee u kunt bekijken hoe de pagina afgedrukt wordt. Maar hier is ook de optie **Pagina-instelling...** ondergebracht waarmee u de marges kunt instellen, een andere pagina-indeling kunt kiezen en kop- en voetteksten kunt plaatsen. Kortom een verbetering ten opzichte van Internet Explorer 6.

Afdrukvoorbeeld

Met het afdrukvoorbeeld kunt u zien hoe een afdruk eruit komt te zien. Dit voorkomt onnodig papierverlies. Is het resultaat niet naar wens dan wijzigt u de opties voor pagina-instelling zodat u wel een goede afdruk krijgt.

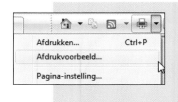

1 Open een site.

2 Open de pagina die u wilt afdrukken.

3 Klik op de lijstpijl bij de knop **Afdrukken**.

4 Klik op **Afdrukvoorbeeld**.

Bij het afdrukvoorbeeld wordt de pagina verkleind weergegeven. Hierdoor zijn de tekens moeilijk leesbaar. Met de knoppen **Volledige breedte**, **Volledige pagina**, **Meerdere pagina's in de werkbalk** kunt u de weergave aanpassen. Met de navigeerknoppen aan de onderzijde van het afdrukvoorbeeld kunt u bladeren tussen de verschillende pagina's. Deze moeten er dan wel zijn. In de volgende tabel ziet u een overzicht van de opties die u bij het afdrukvoorbeeld kunt gebruiken. Deze opties hebben geen invloed op de werkelijke afdruk van de pagina. Om de afdruk te beïnvloeden, moet u de pagina-instellingen veranderen.

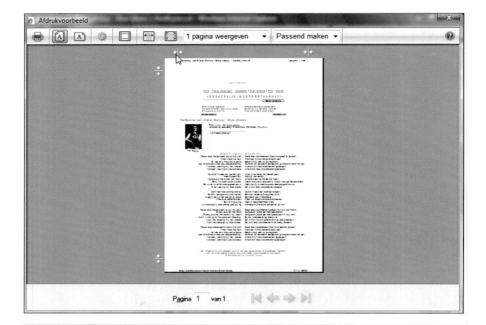

Zodra de volledige pagina is weergeven, ziet u kleine handgrepen. Hiermee kunt u de marges instellen. U plaats de muisaanwijzer op een handgreep en sleept deze, afhankelijk van de plaats van de handgreep, naar links, rechts, boven of onder .

Klik op de knop	Voor dit resultaat
Document afdrukken	Pagina wordt afgedrukt zoals deze te zien is in het venster.
Staand	Pagina wordt getoond zoals deze staand wordt afgedrukt.
Liggend	Pagina wordt getoond zoals deze horizontaal wordt afgedrukt.
Pagina-instellingen...	U opent het venster pagina-instellingen (zie volgende paragraaf).
Kop- en voetteksten in/ uitschakelen	U maakt de kop- en voetteksten van de webpagina (on)zichtbaar. Deze knop heeft een schakelfunctie.
Volledige breedte weergeven	De webpagina zoomen tot de breedte van het afdrukvoorbeeld.

Klik op de knop	Voor dit resultaat
Volledige pagina weergeven	De webpagina zoomen voor een volledige paginaweergave in het afdrukvoorbeeld.
Meerdere pagina's weergeven	Meerdere pagina's in het afdrukvoorbeeld weergeven.
Zoals op het scherm	Pagina ziet eruit zoals op het scherm. Met de vervolgopties kunt u alleen de frames van de pagina selecteren.
Passend maken	Hiermee kunt u de pagina in- of uitzoomen.
Navigatieknop Eerste pagina	Naar de eerste pagina gaan.
Navigatieknop Vorige pagina	Naar de vorige pagina gaan.
Navigatieknop Volgende pagina	Naar de volgende pagina gaan.
Laatste pagina	Naar de laatste pagina gaan.

Pagina-instelling

De optie pagina-instelling kunt u activeren met een knop in het venster **Afdrukvoorbeeld** of bij de lijstpijl bij **Afdrukken** in de werkbalk. In het venster **Paginainstelling** wijzigt u het paginaformaat, de kop- en voetteksten, de afdrukstand en de marges.

Papierformaat wijzigen

1 Klik op de lijstpijl bij de knop **Printen** of klik op de knop **Pagina-instelling** bij het afdrukvoorbeeld.

2 Klik op de lijstpijl bij **Formaat**.

3 Kies het gewenste formaat.

TIP

Natuurlijk moet de printer dit formaat wel ondersteunen. Bij een standaardprinter is het A4-formaat het maximum.

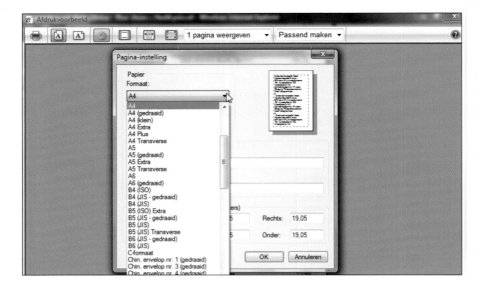

Kop- en voetteksten wijzigen

De kop- en voetteksten zijn informatieregels die boven of onderaan de pagina worden afgedrukt. Met tekstcodes specificeert u de informatie die in de kop- of voettekst wordt geplaatst. U kunt de tekstcodes combineren met tekst (bijvoorbeeld Afgedrukt op &D door Anne Pagina &p van &P). Let op: een hoofdletter in een tekstcodes heeft een andere betekenis dan een kleine letter.

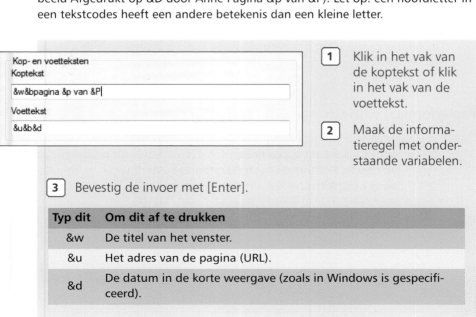

1 Klik in het vak van de koptekst of klik in het vak van de voettekst.

2 Maak de informatieregel met onderstaande variabelen.

3 Bevestig de invoer met [Enter].

Typ dit	Om dit af te drukken
&w	De titel van het venster.
&u	Het adres van de pagina (URL).
&d	De datum in de korte weergave (zoals in Windows is gespecificeerd).

Typ dit	Om dit af te drukken
&D	Datum in de lange weergave (zoals in Windows is gespecificeerd).
&t	De tijd (zoals in Windows is gespecificeerd).
&T	De tijd in een 24 uur klok.
&p	Paginanummer.
&P	Totaal aantal pagina's.
&b	Tekst wordt rechts uitgelijnd (variabel moet voor de tekst staan).
&b&b	Tekst wordt gecentreerd (tekst moet tussen de variabelen staan).
&&	Een enkele ampersand.

Afdrukstand veranderen

Het veranderen van de afdrukstand is handig als hierdoor de webpagina beter wordt afgedrukt. Deze optie is ook als knop in het venster **Afdrukvoorbeeld** aanwezig.

1. Klik bij **Afdrukstand** op **Staand** of **Liggend**

2. De pagina wordt verticaal of horizontaal afgedrukt

3. Klik op **OK**.

Afdrukken of Afdrukken annuleren?

Om de pagina af te drukken klikt u op de knop **Afdrukken** in het venster **Afdrukvoorbeeld** of met de knop in de werkbalk. Is de afdruktaak al naar de printer verzonden maar hebt u zich bedacht, dan kunt u de afdruktaak annuleren vanuit het venster **Printers en faxapparaten van Windows** of in Vista **Configuratiescherm / Printers**.

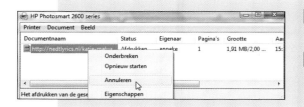

1. Open het venster **Printers**.

2. Dubbelklik op de printer die u gebruikt.

3 Klik met de rechtermuisknop op het item in de afdrukwachtrij staat dat u wilt annuleren

4 Klik op **Annuleren**.

Webpagina

Naast het afdrukken van een webpagina kunt u deze ook nog opslaan, kopiëren, een snelkoppeling van maken op het bureaublad, als achtergrond gebruiken voor uw bureaublad of verzenden in een e-mailbericht.

Een webpagina opslaan

U kunt een webpagina opslaan als html-pagina of als tekst. Wanneer u de pagina als tekst opslaat, verdwijnen meestal allerlei opmaakvormen en houdt u alleen de tekst over. De pagina kunt u dan weer openen in bijvoorbeeld Word.

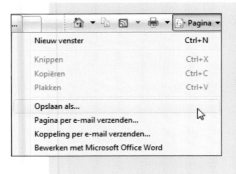

1 Ga naar de webpagina met de afbeelding die u wilt opslaan.

2 Klik op de lijstpijl achter **Pagina**.

3 Klik op **Opslaan als...**

4 In het dialoogvenster **Afbeelding opslaan** bladert u naar de map waar u het bestand wilt opslaan en klikt u op **Opslaan**.

Abeelding van een webpagina opslaan

Een afbeelding op een webpagina kunt u in veel gevallen apart opslaan. De kwaliteit is meestal niet zo goed omdat de afbeeldingen vaak als webafbeelding en in jpeg-formaat worden opgeslagen. Maar om te gebruiken als achtergrond, te bekijken op het beeldscherm of te kopiëren naar een mobiele telefoon, voldoet dit formaat prima. Ook als u de afbeelding niet vergroot, kan deze gemakkelijk in een Worddocument worden ingevoegd.

1 Klik met de rechtermuisknop op de afbeelding
die u wilt opslaan

2 Klik op **Afbeelding opslaan als....**

3 U krijgt het venster **Afbeelding opslaan**.

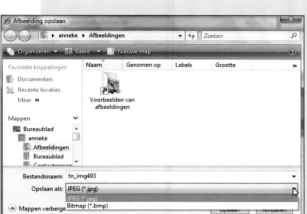

4 Open de map
waarin u de pagina
wilt opslaan.

5 Geef de afbeelding
een bestandsnaam.

6 Kies eventueel een
ander formaat

7 Klik op **Opslaan**.

> **TIP** De afbeelding kunt u bewerken in een bewerkingsprogramma of invoegen in een willekeurig document van de Office suite.

Een webpagina verzenden per e-mail

Met de optie **Pagina per e-mail verzenden...** kunt u een pagina rechtstreeks
naar een bekende of een zakenrelatie versturen. Natuurlijk moet u wel een e-
mailaccount hebben en over een ingesteld e-mailprogramma beschikken op de
computer waarvan u de webpagina wilt verzenden. Bij het verzenden van het
adres van de webpagina kunt u het adres opnieuw typen of het url selecteren in
de adresbalk van Internet Explorer en het vervolgens plakken in de mail. Let op:
een e-mail die webpagina's bevat, wordt verzonden in HTML-indeling (Hypertext
Markup Language). Als de ontvanger geen e-mailclient gebruikt die HTML ondersteunt, kan deze de webpagina niet correct weergeven. Als u een webpagina
verzendt die veel of grote afbeeldingen bevat, kan dit resulteren in een groot
e-mailbericht.

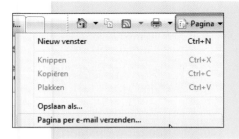

1 Klik op de lijstpijl bij de knop **Pagina**.

2 Klik op **Pagina per e-mail...** verzenden.

3 Vul de vakken in het e-mailbericht in en verzend het bericht.

Koppeling van een webpagina verzenden per e-mail

U kunt ook een koppeling van een webpagina per e-mail verzenden. Hiervoor opent u de pagina waarop u iemand anders wilt attenderen. Klik op **Pagina / Koppeling per e-mail verzenden**. Het door u gebruikte mailprogramma wordt automatisch geopend en de koppeling in de mail geplaatst. U kunt nu nog extra tekst toevoegen en de mail verzenden. Degene die de mail ontvangt, hoeft alleen op de koppeling te klikken om de webpagina te openen.

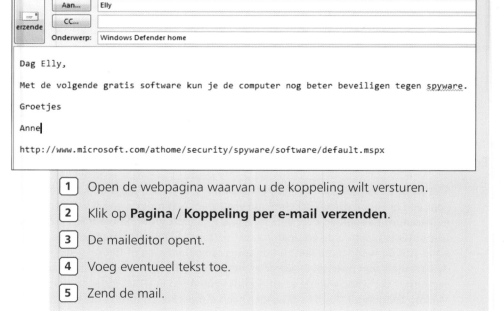

1 Open de webpagina waarvan u de koppeling wilt versturen.

2 Klik op **Pagina / Koppeling per e-mail verzenden**.

3 De maileditor opent.

4 Voeg eventueel tekst toe.

5 Zend de mail.

Van een webpagina naar een Worddocument

Soms is het handig om tekstdelen van een internetpagina te kopiëren naar een Worddocument of naar een ander programma. Bedenk hierbij wel dat aan de meeste pagina's copyright zijn verbonden. Het is dus niet toegestaan deze teksten te publiceren en te gebruiken voor eigen publicaties.

1 Selecteer de informatie die u wilt kopiëren.

2 Klik op **Kopiëren**.

3 Open bijvoorbeeld het programma Word.

4 Klik op **Plakken**

INFO
De tekst die u in het Worddocument plakt, kunt u bewerken als gewone tekst.

TIP
In het snelmenu kunt u ook kiezen om de geselecteerde tekst direct af te drukken of eerst te bekijken via een afdrukvoorbeeld. Knippen in een webpagina is niet mogelijk.

Snelkoppeling op het bureaublad

Websites die u regelmatig bezoekt, kunt u als een snelkoppeling op uw bureaublad plaatsen. Met een klik heeft u dan de informatie op uw beeldscherm.

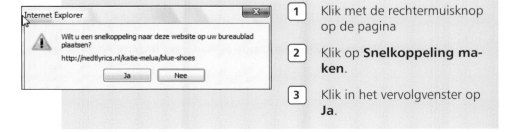

1 Klik met de rechtermuisknop op de pagina

2 Klik op **Snelkoppeling maken**.

3 Klik in het vervolgvenster op **Ja**.

Gegevens Exporteren naar Microsoft Excel

Het is ook mogelijk om gegevens van een website te exporteren naar het reken-programma Microsoft Excel. Dit heeft vooral waarde als het om financiële cijfers gaat, waarmee u berekeningen wilt uitvoeren. De gegevens worden netjes in de cellen van een rekenblad geplaatst. Het programma Excel moet natuurlijk wel op uw computer geïnstalleerd zijn.

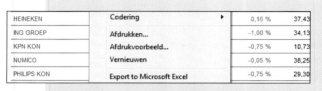

1 Ga naar de webpagina met de data die u wilt opslaan.

2 Klik op **Export to Microsoft Excel**.

3 Excel wordt automatisch ge-start en de gegevens worden in de cellen geplaatst.

4 U kunt hier de gegevens be-werken zoals u gewend bent.

Veilige websites

6

Als u met Internet Explorer 7 over het web surft, wordt uw computer beschermd tegen ongewenste of schadelijke programma's die zich tijdens het surfen automatisch op uw systeem willen installeren. Ook worden uw persoonlijke gegevens afgeschermd tegen frauduleuze bedoelingen. IE 7 heeft hiervoor een aantal beveiligingsfuncties ingebouwd. Voor de meeste beveiligingen hoeft u zelf geen stappen te ondernemen. In de volgende paragrafen leest u welke beveiligingen IE 7 heeft en hoe u deze eventueel kunt aanpassen.

Phishingfilter

Veel internetgebruikers zijn zich er niet van bewust dat veel persoonlijke, traceerbare gegevens tijdens het surfen op onveilige websites met één muisklik worden verzonden. Een techniek die wordt gebruikt om persoonlijke gegevens te verzamelen, is phishing (vissen) waarmee de eigenaar van een website zich voordoet als legitieme persoon of organisatie met het doel gevoelige informatie (creditcardgegevens, sofi-nummer) te ontfutselen. Enkele jaren geleden werd op deze manier een vervalste Postbankmailing verstuurd waarmee men werd gevraagd de inloggegevens in te vullen op een vervalste webpagina. Vervolgens werden er bedragen automatisch afgeschreven van de bankrekeningen. Ander geïmiteerde bedrijven waar dergelijk praktijken zijn uitgevoerd waren ondermeer Ebay, Paypal en Citibank.

Een van de trucjes die worden toegepast bij phishing is een e-mail sturen waarin u wordt gevraagd zo snel mogelijk te reageren, omdat anders uw account verloopt en u geen gebruik meer kunt maken van de speciale acties. In een ander geval wordt u gemaand snel te reageren omdat er een kwetsbaar beveiligingslek is ontdekt. Zodra u op de link klikt die in de e-mail staat, wordt een website geopend waarin u uw loginnaam en wachtwoord moet invullen. Vaak wordt u ook nog verzocht om uw creditcardgegevens in te vullen. Wees bij dit soort praktijken bedacht op fraude.

Phising is moeilijk te herkennen omdat de oplichters erg inventief te werk gaan. Kenmerken binnen phishing zijn dringende verzoeken om persoonlijke informatie door te geven en vooral snel te reageren. Daarnaast wordt u meestal niet persoonlijk aangesproken en dient u op een link te klikken. Soms wordt in een e-mail gevraagd een bijlage te openen. Deze kan dan weer spyware bevatten. Krijgt u een e-mail met veel taal- en spellingsfouten en een slordige schrijfstijl, wees dan kritisch want deze kan afkomstig zijn van een phishingsite.

In Internet Explorer 7 is een phishingfilter ingebouwd. Dit filter werkt met drie methoden. Ten eerste bevat het filter een database met een overzicht van een groot aantal dubieuze sites. Met de informatie uit de lijst wordt steeds gecontroleerd of een bepaalde site verdacht is. Deze lijst wordt door Microsoft automatisch actueel gehouden via updates. De tweede methode die wordt gebruikt, is het analyseren van elke website op vreemde karakters in het url. Ten derde kunt u zelf verdachte website rapporteren bij Microsoft. Bij het openen van een verdachte site krijgt u een waarschuwing en het verzoek deze website bekend te maken bij Microsoft.

Zodra u het **Phishingfilter** hebt ingesteld en u bezoekt een onbetrouwbare site dan krijgt u een melding. U kunt dan besluiten om de website te sluiten. Soms is het evenwel een betrouwbare site maar is de koppeling naar een volgende pagina niet goed gedefinieerd. Controleer dan het adres van de website om er zeker van te zijn dat dit geen verdachte site is. Gaat u door, dan kunt u beter geen persoonlijke informatie invoeren.

 Het pictogram met kruis krijgt u te zien bij een website die geregistreerd staat als frauduleuze site en / of bij de hyperlink waarvan verwacht wordt dat het om een frauduleuze site gaat. Microsoft adviseert geen gegevens van welke aard dan ook door te geven aan deze website.

Een website die het pictogram met het uitroepteken krijgt, is een website die nog niet op de lijst van gerapporteerde phishingwebsites staat maar er wel een aantal kenmerken van vertoont. Microsoft adviseert voorzichtig te zijn met het opgeven van persoonlijke of financiële gegevens tenzij u er zelf zeker van bent dat dit een betrouwbare website is.

Ziet u in de statusbalk een hangslot, dan is dit een beveiligde website met een SSL-certificaat. SSL staat voor secure sockets layer. Het certificaat zorgt ervoor dat er een gecodeerde verbinding tot stand komt. Bij een website met dit certificaat kunt u er als bezoeker zeker van zijn dat u een website bezoekt waarvan de door u ingevoerde gegevens niet door derden kunnen worden

afgeluisterd. Controleer altijd of de website een SSL-Certificaat heeft als u een website bezoekt waarbij privacygevoelige gegevens zoals creditcardgegevens en wachtwoorden worden uitgewisseld. Met een klik op het hangslot krijgt u infor-matie over certificaten en privacydetails van de site.

Website handmatig controleren

U kunt desgewenst handmatig controleren of het een phishingwebsite is.

1   Klik op de knop **Extra** / **Phisingfilter**.

2   Klip op **Deze web-site controleren**.

3 Als de website niet in de lijst van Microsoft voorkomt krijgt u het venster met de mededeling **Dit is geen gerapporteerde phishingwebsite**.

4 Als u zeker weet dat het een veilige site is, kunt u gewoon doorgaan met surfen. Weet u niet zeker of de site veilig is dan kunt u deze beter sluiten.

> **INFO**
>
> Verstrek nooit persoonlijke of financiële informatie aan een onbetrouwbare website. Wanneer u denkt dat een website ten onrechte als phisingsite is gemarkeerd, kunt u deze site rapporteren met de optie **Extra / Phishingfilter / Deze website rapporten**.

> **TIP**
>
> Wanneer u uw persoonlijke of financiële gegevens ingevoerd hebt bij een phishingwebsite, handel dan als volgt. Doe aangifte bij de politie. Laat al uw rekeningen blokkeren. Wijzig alle wachtwoorden en pincodes voor al uw accounts op het internet. Neem persoonlijk contact op met banken en andere bedrijven waarmee u zaken doet.

Phishingfilter instellen

Het beste kunt u de websites automatisch laten controleren door het phishingfilter. Hiermee worden de adressen van websites automatisch gecontroleerd en dubieuze adressen verzonden naar Microsoft voor nadere analyse. Natuurlijk moet u zelf ook alert blijven, maar u hebt meer bescherming. Voor de automatische controle van websites inschakelen voert u volgende stappen uit.

1 Klik op **Extra / Phishingfilter**.

2 Klik op **Instellingen voor Phishingfilter**.

3 Het venster **Internetopties** opent.

4 Klik indien nodig op het tabblad **Geavanceerd**.

5 Bij het onderdeel **Phishingfilter** ziet u drie mogelijkheden staan.

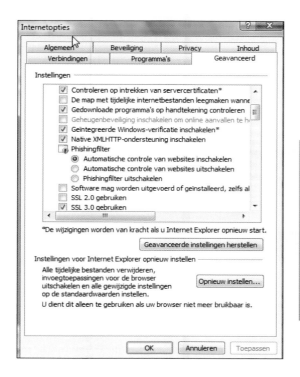

6 Het beste is om **Automatisch controle van websites inschakelen** te gebruiken.

7 Klik om de instelling te activeren op **OK**.

Rapporteren van website

Wanneer een eigen website door het **Phishing Filter** als verdacht wordt aangemerkt, kunt u dit melden op de feedbackpagina van Microsoft, waar u kunt aangeven dat u de webeigenaar bent. Met de informatie die u daar verstrekt, wordt de website opnieuw beoordeeld en bij goedkeuring aan de lijst veilige website toegevoegd.

1. Klik op **Extra** / **Phishingfilter**.

2. Klik op **Deze website rapporteren**.

3. Er wordt automatisch verbinding gemaakt met Microsoft.

4. In de pagina van Microsoft kunt u aangeven wat de taal van de website is en op de knop **Verzenden** klikken.

Bij een onbetrouwbare website klikt u ook nog bij het aankruisvak **Ik denk dat dit een phishingwebsite is** en daarna klikt u pas op de knop **Verzenden**.

Tips ter bescherming tegen online phishing

- Geef nooit persoonlijke informatie op in een e-mail of pop-upvenster.

- Klik niet op koppelingen in e-mails en berichten van onbekenden of op koppelingen die er verdacht uitzien.

- Vraag altijd aan de afzender of deze het bericht werkelijk heeft verstuurd. Zelfs berichten van vrienden of familie kunnen gefingeerd zijn.

- Vul alleen persoonlijke informatie in op websites die een privacyverklaring bevatten of informatie geven over de manier waarop ze persoonlijke gegevens gebruiken.

- Controleer regelmatig uw bank- en/of giroafschriften en kredietoverzichten en rapporteer elke verdachte transactie.

- Zorg ervoor dat op uw computer altijd de nieuwste versie van Windows en Internet Explorer is geïnstalleerd.

Als u denkt dat u persoonlijke of financiële gegevens hebt opgegeven bij een phishingwebsite, kunt u het beste onmiddellijk de volgende stappen ondernemen.

- Wijzig de wachtwoorden of pincodes van al uw online accounts.

- Zorg ervoor dat uw bankrekening wordt gemarkeerd met een fraudewaarschuwing. Raadpleeg uw bank of financieel adviseur als u niet weet hoe u dit moet doen.

- Neem direct contact op met uw bank of de online winkel.

- Klik niet op koppelingen in de frauduleuze e-mail.

- Sluit elke rekening waarvan zonder uw medeweten geld is afgeschreven of die voor zover u weet met kwade bedoelingen is geopend.

Hoe weet u welke websites u kunt vertrouwen?

Het is triest maar geen enkele website is blindelings te vertrouwen, u moet zelf kritisch blijven. Grote bedrijven en banken hebben een veilige verbinding die u herkent aan de SSL-certificaat. In de adresbalk ziet u het pictogram van de sleutel. De informatie die u naar de website stuurt, wordt versleuteld op uw computer en ontsleutelt op de website. Onder normale omstandigheden kan de informatie niet worden gelezen of gewijzigd wanneer deze wordt verzonden. Het is echter niet uit te sluiten dat iemand erin slaagt om de sleutel te kraken. Bij beveiligde websites krijgt u bij de adresbalk een nieuwe werkbalk te zien. Dit wordt de beveiligingsstatusbalk genoemd. In deze balk wordt met kleuren aangegeven of het beveiligingscertificaat al dan niet geldig is. Ook wordt het niveau weergegeven van validatie door de certificeringorganisatie. In de tabel ziet u wat de betekenis is van de kleuren van de beveiligingsstatusbalk.

Kleur	Betekenis
Rood	Het certificaat is verouderd, ongeldig of bevat een fout.
Geel	De authenticiteit van het certificaat of van de certificeringinstantie die het certificaat heeft uitgegeven, kan niet worden gecontroleerd. Dit kan duiden op een probleem met de website van de certificeringinstantie.
Wit	Het certificaat heeft normale validatie. Dit betekent dat de communicatie tussen de browser en de website wordt versleuteld. De certificeringinstantie doet geen uitspraak over de bedrijfspraktijken van de website.
Groen	Het certificaat maakt gebruik van uitgebreide validatie. Dit betekent dat de communicatie tussen de browser en de website wordt versleuteld en dat de certificeringinstantie heeft bevestigd dat de website eigendom is van of wordt beheerd door een bedrijf dat wettelijk is opgericht onder de jurisdictie die wordt vermeld in het certificaat en op de beveiligingsstatusbalk. De certificeringinstantie doet geen uitspraak over de bedrijfspraktijken van de website.

Als u denkt dat men u probeert te misleiden, neem dan contact op met de certificeringinstantie waarvan de naam wordt vermeld in het certificaat en op de beveiligingsstatusbalk.

Het zijn voornamelijk de onbekende sites waarvan erg moeilijk te beoordelen is of deze betrouwbaar zijn. Maar er zijn enkele belangrijke dingen waar u op kunt letten.

Controleer voordat u gegevens invoert of gebruik wordt gemaakt van een veilig invoerformulier om uw gegevens vast te leggen. Zoek hiervoor naar een verklaring waarin wordt aangegeven dat deze informatie wordt gecodeerd en controleer of het pictogram met de sleutel aanwezig is in de beveiligingsstatusbalk. Voer geen vertrouwelijke gegevens in als het pictogram met de sleutel niet wordt weergegeven in de adresbalk. Probeer ook het beleid van de website ten aanzien van de opslag van de gegevens te weten te komen: Vragen die u zich hierbij kunt stellen zijn: wordt uw creditcardnummer in een bestand opgeslagen? Worden de gegevens gedeeld met eventuele partners?

Wees altijd kritisch als u wordt gevraagd vertrouwelijke persoonlijke gegevens te verstrekken (zoals uw wachtwoord, sofinummer, creditcardnummer of bankgegevens), doe dit alleen als er een geldige reden voor is en als de site een veilige methode gebruikt voor het verzamelen van deze gegevens. Kijk of er een telefoonnummer wordt vermeldt dat u kunt bellen als er problemen zijn of dat u kunt gebruiken om een bestelling te plaatsen. Kijk of er een adres wordt vermeld. Als de website niet bekend is of als de website geen certificering heeft, betekent dit niet dat de site onbetrouwbaar is. Vraag vrienden of collega's of zij bekend zijn met de site. Zoek op het internet naar referenties voor de site. Wellicht dat een tijdschrift of bedrijf dat u vertrouwt, naar de site verwijst.

Ga pas over tot een aankoop bij een webwinkel als u verzekerd bent van een veilige verbinding. Ziet u geen privacyverklaring gebruik de site dan niet voor de aankoop. Een website is in de volgende gevallen mogelijk niet betrouwbaar:

- U werd naar de site verwezen via een e-mailbericht van iemand die u niet kent.
- De site bevat ongewenste inhoud, zoals pornografie of illegale zaken.
- De site doet een aanbieding die te goed is om waar te zijn, wat kan duiden op oplichterij of de verkoop van illegale of geplagieerde producten.
- U wordt naar de site gelokt met een lokaas, waarbij het product of de dienst niet het verwachte product of de verwachte dienst is.
- Uw creditcardgegevens worden gevraagd om uw identiteit te controleren of er worden onnodige persoonlijke gegevens gevraagd.
- U wordt gevraagd een creditcardnummer te verstrekken zonder bewijs dat de transactie veilig is.

> **INFO**
> Internet Explorer maakt voor toegang tot beveiligde webpagina's gebruik van een versleuteld protocol, Secure Sockets Layer (SSL). Deze pagina's hebben het prefix HTTPS; gewone webpagina's hebben het prefix HTTP.

Websites met beveiligde en onbeveiligde inhoud

Naast de beveiligde websites zijn er ook sites die een gemengde inhoud aanbieden. Dit wil zeggen dat delen beveiligd zijn, andere niet. Bij goed opgebouwde websites krijgt u een melding dat de site is opgebouwd uit beveiligde en onbeveiligde items. U kunt dan besluiten of u de onbeveiligde items wilt zien of niet. De procedure maakt deel uit van de beveiliging, u kunt rustig op **Ja** klikken. Een andere manier om aan te geven dat u altijd de gemengde inhoud van een website wilt bekijken, is het beveiligingsniveau aan te passen.

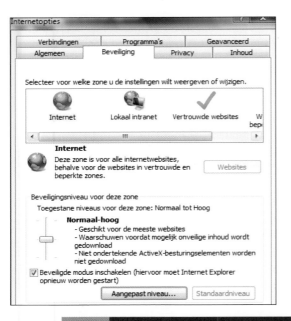

1. Klik op **Extra**.

2. Klik op **Internetopties**.

3. Klik op het tabblad **Beveiliging**.

4. Klik op de knop **Aangepast niveau**.

INFO

U moet zich wel bedenken dat een beveiligde website niet automatisch betekent dat de privacy is gewaarborgd. Het bedrijf waar u werkt, kan bijvoorbeeld in websites ingetypte zoekwoorden registreren of een logboek bijhouden van de door u bezochte websites. Wanneer u op een computer op uw werk naar een nieuwe baan zoekt en uw cv naar een website opstuurt, weet uw werkgever in dat geval dat u op zoek bent naar een nieuwe baan, ook al is de verstuurde informatie versleuteld.

---

5. Klik bij **Gemengde inhoud weergeven** op **Inschakelen**.

6. Klik op **OK**.

7. Klik op **OK** om **Internetopties** af te sluiten.

Cookies

In hoofdstuk vier werd u al geattendeerd op de keuze om bij dubieuze sites de pop-up-vensters te blokkeren zodat anderen, zonder uw toestemming, geen toegang kregen tot vertrouwelijke informatie. Een andere manier waarmee vertrouwelijke informatie kan worden doorgespeeld zijn de cookies. Cookies zijn kleine bestanden die automatisch door een site worden gemaakt en informatie opslaan op uw computer. Dit kan bijvoorbeeld informatie zijn van uw voorkeursinstellingen of als u een vluchtschema van een luchtvaartmaatschappij bekijkt, kan de site een cookie maken met uw vluchtgegevens. Bij online winkelen, kan een cookie bijhouden wat u in uw winkelwagentje hebt geplaatst. Het cookie kan ook een overzicht bevatten van de pagina's die u hebt bekeken en bij een volgend bezoek snel de dezelfde pagina laten zien.

Nadat een cookie op uw computer is opgeslagen, kan alleen de website die de cookie heeft gemaakt deze lezen. Er zijn permanente, tijdelijke en indirecte cookies. Een permanente cookie wordt opgeslagen als een bestand op uw computer. Een tijdelijke cookie wordt per sessie opgeslagen en blijft aanwezig totdat de sessie wordt afgesloten. Een indirecte cookie wordt meestal verzonden naar de website die u momenteel bekijkt. Deze cookies worden gewoonlijk gebruikt voor het opslaan van persoonlijke informatie zoals uw naam, e-mailadres, privé- en werkadres of telefoonnummer. Deze informatie moet u dan wel eerst zelf verstrekken door deze informatie in te vullen in een formulier van de website. De cookie is in zo verre onschuldig dat er geen toegang mee wordt verleend tot andere informatie op uw computer. Maar misschien wilt u ook dat deze informatie niet wordt verstrekt. U kunt dan ook bij de privacyinstellingen aangeven dat u van bepaalde websites geen cookies accepteert of helemaal geen cookies accepteert. Dit laatste betekent wel dat u bepaalde websites niet kunt bekijken of geen gebruik kunt maken van aanpassingsfuncties (zoals lokaal nieuws en weer of aandelenkoersen). Het wijzigen van de privacyinstellingen gaat als volgt:

1 Klik op **Extra**.

2 Klik op **Internetopties**.

3 Klik op het tabblad **Privacy**.

4 Met de schuifregelaar kunt u nu de indirecte cookies blokkeren of een hogere beveiliging instellen ten aanzien van het privacybeleid.

Zodra u de schuifregelaar met de muisknop versleept naar boven of beneden, verandert de instelling.

In onderstaande tabel wordt aangegeven wat de impact is van de zes standen (kleine grijze streepjes) naast de schuifregelaar. Geadviseerd wordt de instelling op Normaal (hoog) in te stellen.

Vetgedrukte Tekst bij instellingen	Niveau Schuif- regelaar	Effect
Alle cookies blokkeren	6	Cookies van alle websites worden geblokkeerd. Bestaande cookies op uw computer kunnen niet worden gelezen door websites.
Hoog	5	Cookies van alle websites die niet over een gecomprimeer- de, door de computer leesbare privacyverklaring beschik- ken worden geblokkeerd. Cookies van alle websites die uw persoonlijke informatie gebruiken zonder uw expliciete toestemming worden geblokkeerd.
Normaal (hoog)	4	Indirecte cookies van websites die niet over een gecom- primeerde, door de computer leesbare privacyverklaring worden geblokkeerd. Ook de cookies van websites die uw persoonlijke informatie gebruiken zonder uw expliciete toestemming worden geblokkeerd. Directe cookies van websites die uw persoonlijke informa- tie gebruiken zonder uw impliciete toestemming worden geblokkeerd.
Normaal	3	Indirecte cookies van websites die niet over een gecom- primeerde, door de computer leesbare privacyverklaring worden geblokkeerd. Indirecte cookies van websites die uw persoonlijke informatie gebruiken zonder uw impliciete toestemming worden geblokkeerd. Directe cookies van websites die uw persoonlijke informa- tie gebruiken zonder uw impliciete toestemming worden verwijderd van uw computer zodra u Internet Explorer sluit.
Laag	2	Indirecte cookies van websites die niet over een door de computer leesbare privacyverklaring beschikken, worden geblokkeerd. Indirecte cookies die uw persoonlijke infor- matie gebruiken zonder uw impliciete toestemming wor- den verwijderd van uw computer zodra u Internet Explorer sluit.
Alle cookies accepteren	1	Alle cookies worden geaccepteerd en opgeslagen op uw computer. Bestaande cookies op uw computer kunnen worden gelezen door de websites die deze cookies hebben gemaakt.

Cookie verwijderen

U kunt alle cookies verwijderen. Maar bedenk dat sommige websites uw lidmaat-schapsnaam en wachtwoord of andere persoonlijke informatie opslaan in een cookie. Het is dus mogelijk dat u nadat u de cookies hebt verwijderd dergelijke informatie opnieuw moet invoeren bij uw volgende bezoek aan deze website.

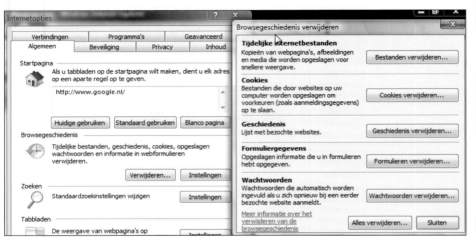

1 Klik **Extra / Internetopties**.

2 Klik op het tabblad **Algemeen**.

3 Klik bij **Browsergeschiedenis** op **Verwijderen...**

4 Klik in het vervolgvenster op **Cookies Verwijderen...**

5 Klik op **Ja**.

6 Klik op **Sluiten** en **OK**.

Beveiligingszones

Bij elk bezoek aan een site worden de gegevens van die site op uw computer ge-plaatst. Voor een betere beveiliging heeft Internet Explorer 7 vier veiligheidszo-nes gecreëerd. De veiligheidszones hebben de namen **Internet**, **Lokaal Intranet**, **Vertrouwde plaatsen** en **Beperkte plaatsen**.

De veiligheidszone **Internet** is de standaardzone. In deze zone worden alle sites toegewezen die zich niet op uw computer of op een intranet bevinden. Het stan-daardbeveiligingsniveau voor deze zone is **Normaal**.

In de zone **Lokaal intranet** worden meestal alle adressen van de intranetsite geplaatst. Een intranetsite is een website die binnen een bedrijf of een organisa-tie wordt gebruikt om interne bedrijfsinformatie beschikbaar te stellen voor de medewerkers. Omdat de veiligheid door de beheerders wordt gecontroleerd zijn er minder veiligheidsmaatregelen nodig dan voor internetsites. Binnen deze zone worden alle cookies standaard geaccepteerd.

In de zone **Vertrouwde websites** plaatst u de sites die u vertrouwt. Bijvoorbeeld de sites waarvan u denkt dat u er bestanden van kunt downloaden of uitvoeren zonder u zorgen te hoeven maken over het toebrengen van schade aan uw com-puter of gegevens. Het standaardbeveiligingsniveau voor de zone **Vertrouwde websites** is **Laag**. Daarom staat Internet Explorer toe dat alle cookies van web-sites in deze zone worden opgeslagen op uw computer en worden gelezen door de website die de cookies heeft gemaakt.

In de zone **Websites met beperkte toegang** plaatst u sites die u niet vertrouwt en sites waarvan u niet zeker weet of u er bestanden van kunt downloaden of uitvoeren zonder u zorgen te hoeven maken over het toebrengen van schade aan uw computer of gegevens. Het standaardbeveiligingsniveau voor de zone **Websites met beperkte toegang** is **Hoog**. Daarom worden in Internet Explorer alle cookies van websites in deze zone geblokkeerd.

U kunt zelf aangeven welke websites u aan welke zone wilt toewijzen. U kunt het beveiligingsniveau voor een zone wijzigen of de instellingen binnen een zone aanpassen. Daarnaast is het ook mogelijk instellingen aan te passen voor een zone door een bestand met privacyinstellingen van een certificeringinstantie te importeren.

Website aan een zone toevoegen

Door een website toe te wijzen aan een bepaalde beveiligingszone, hebt u controle over het niveau van beveiliging dat op de site wordt gebruikt. Als u bijvoorbeeld een lijst hebt samengesteld met websites die u bezoekt en u deze websites volledig vertrouwt, kunt u de websites toevoegen aan de zone **Vertrouwde websites**.

1 Open de website die u aan een beveiligingszone wilt toevoegen.

2 Klik op de knop **Extra**.

3 Klik op **Internetopties**.

4 Klik op het tabblad **Beveiliging**.

5 Selecteer **Vertrouwde websites**.

6 U kunt natuurlijk ook kiezen voor **Internet** of **Lokaal intranet** of **Websites met beperkte toegang**.

7 Klik op de knop **Websites**.

8 De website wordt nu weergegeven in het vak **Deze website aan de zone toevoegen:**

9 Klik op de knop **Toevoegen**.

10 Klik op **Sluiten**.

11 Op deze manier kunt u de sites in de verschillende zones toevoegen.

Spyware en toezicht 7

Zelfs als u alles zo ingesteld hebt dat u alleen maar op betrouwbare websites komt en extra voorzichtig bent, kan het nog steeds gebeuren dat ongewenste programma's een weg vinden naar uw computer. Windows Defender past daar een mouw aan. En als u (jonge) kinderen in huis hebt, die zelf graag online gaan, kan het zeker geen kwaad het Ouderlijk toezicht in te schakelen. Op die manier hoeft u niet over hun schouder mee te kijken en bent u toch gerustgesteld.

Spyware

Spyware is software die zichzelf op uw computer kan installeren en vervolgens wordt uitgevoerd zonder dat u dat weet of zonder dat uw toestemming gevraagd is en u hierover controle hebt. Spyware kan bijvoorbeeld uw internetgebruik controleren of informatie over u verzamelen (inclusief persoonlijke gegevens of andere gevoelige informatie), instellingen op uw computer wijzigen of ervoor zorgen dat de computer traag werkt. Het is vaak moeilijk vast te stellen of er spyware op uw computer aanwezig is. Maar het is waarschijnlijk als u de volgende symptomen herkent.

* U ziet nieuwe werkbalken, koppelingen of favorieten die u zelf niet hebt geinstalleerd.
* De standaardstartpagina, muisaanwijzer of zoekprogramma is veranderd.
* U typt het adres voor een specifieke website, maar krijgt een andere website te zien.
* U ziet pop-upadvertenties, zelfs als u niet online bent.
* De computer start of werkt plotseling traag.

Wees bedacht op spyware als u gratis software downloadt. Lees licentieovereenkomsten voordat u de software installeert. Stem bij uw bezoek aan websites niet automatisch in met het downloaden van onderwerpen die de site aanbiedt. Kijk of u niet per ongeluk akkoord gaat met clausules waarin wordt aangegeven dat u advertenties en pop-ups van het bedrijf moet accepteren of moet toestaan dat de software bepaalde gegevens aan de uitgever van de software terugzendt.

Windows Defender

Om te voorkomen dat er spyware op uw computer komt, kunt u het programma Windows Defender activeren. Dit is een antispyware-programma dat gemaakt is door Microsoft en meegeleverd wordt met het besturingssysteem Vista. Windows XP gebruikers kunnen het programma gratis downloaden bij de site van Microsoft. Het programma Windows Defender biedt drie manieren om te voorkomen dat spyware en andere ongewenste software de computer infecteren. Namelijk:

Realtime bescherming. Dit wil zeggen dat Windows Defender u waarschuwt wanneer spyware of mogelijk ongewenste software zichzelf probeert te installeren of wordt geïnstalleerd op de computer. Ook wordt u gewaarschuwd wanneer programma's proberen belangrijke Windows-instellingen te wijzigen.

SpyNet-community. Hiermee kunt u online de Microsoft SpyNet-community bekijken en lezen hoe anderen reageren op software waarvan de risico's nog niet zijn geclassificeerd. Als u weet of andere leden van de community deze software toestaan, helpt dit u om te beslissen of u de software op uw eigen computer wilt toestaan. Andersom worden uw keuzes ook weer toegevoegd aan de communitybeoordeling zodat andere mensen makkelijker een beslissing kunnen nemen.

Scanopties. Met de scanoptie van Windows Defender kunt u scannen op spyware en andere mogelijk ongewenste software die op de computer kan zijn geïnstalleerd. Door regelmatig scans uit te voeren en automatisch schadelijke software die tijdens een scan wordt gedetecteerd te verwijderen, houdt u uw systeem schoon.

Snelscan

In Windows Defender kunt u een snelscan of een volledige systeemscan op de computer uitvoeren. Als u vermoedt dat een specifiek gedeelte van de computer is besmet met spyware, kunt u de controle ook beperken tot bepaalde stations en mappen.

Met een snelscan worden de gedeelten op de vaste schijf gecontroleerd die het meest vatbaar zijn voor spyware. Bij een volledige scan worden alle bestanden op de vaste schijf en alle actieve programma's gecontroleerd. Dit kan er wel voor zorgen dat de computer langzamer werkt, totdat de scan is voltooid. Wij raden u aan dagelijks een snelle scan te plannen. Als u vermoedt dat de computer is geïnfecteerd met spyware, is het raadzaam de volledige scan uit te voeren.

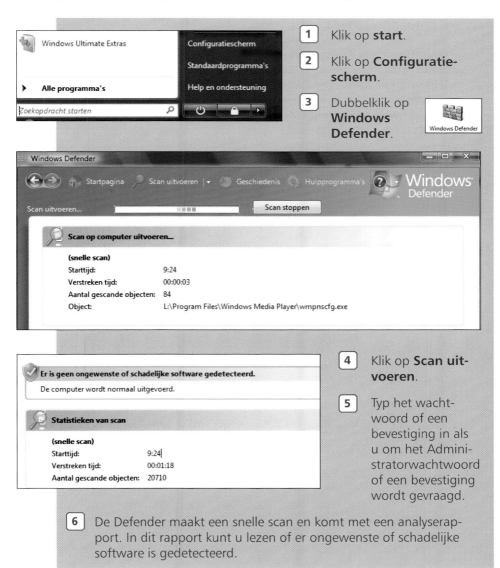

1 Klik op **start**.

2 Klik op **Configuratie-scherm**.

3 Dubbelklik op **Windows Defender**.

4 Klik op **Scan uit-voeren**.

5 Typ het wacht-woord of een bevestiging in als u om het Admini-stratorwachtwoord of een bevestiging wordt gevraagd.

6 De Defender maakt een snelle scan en komt met een analyserap-port. In dit rapport kunt u lezen of er ongewenste of schadelijke software is gedetecteerd.

Aangepaste scan

In het venster van de Defender kunt u selecteren of u een snelle scan, volledige
scan of een aangepaste scan wilt uitvoeren. Bij een aangepaste scan selecteert
u zelf de mappen die u wilt scannen. Als er echter ongewenste software is gedetecteerd, voert Windows Defender een snelscan uit zodat de gedetecteerde
items zo nodig kunnen worden verwijderd vanaf andere gebieden van de computer.

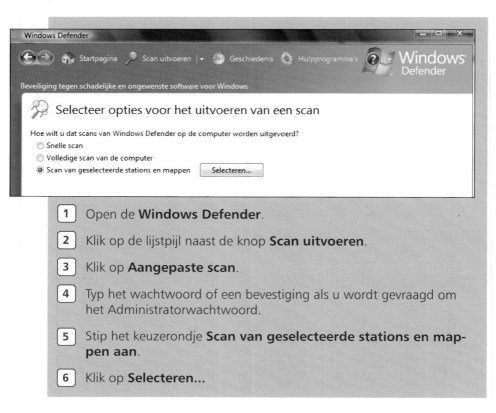

1 Open de **Windows Defender**.

2 Klik op de lijstpijl naast de knop **Scan uitvoeren**.

3 Klik op **Aangepaste scan**.

4 Typ het wachtwoord of een bevestiging als u wordt gevraagd om
het Administratorwachtwoord.

5 Stip het keuzerondje **Scan van geselecteerde stations en mappen aan**.

6 Klik op **Selecteren...**

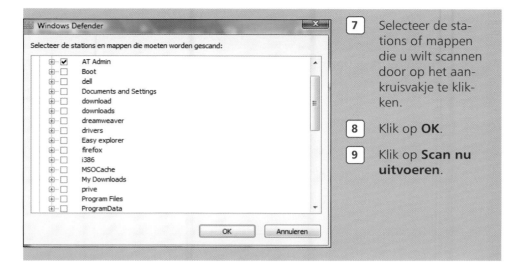

Instellingen bij Windows Defender

Met de knop **Hulpprogramma's** van **Windows Defender** kunt u het programma aanpassen aan uw voorkeuren. Maar in dit venster zijn ook nog vijf andere hulpprogramma's toegevoegd. Het programma om deel te nemen aan de community (Microsoft SpyNet). Het hulpprogramma waarmee u te zien krijgt welke verdachte software in quarantaine is gezet en die u hier kunt verwijderen. Een hulpprogramma waarmee u inzicht krijgt in welke programma's worden uitgevoerd en die van invloed zijn op uw privacy of beveiliging (Softwareverkenner). Hulpprogramma waarmee u items kunt aangeven die niet meer worden gecontroleerd door spyware. Het laatste onderdeel is een link naar de website van Windows Defender waar u meer informatie vindt over het programma. Met deze hulpprogramma's, houdt u een goed overzicht wat er gebeurt op uw computer. En kunt u zich op de hoogte houden van de laatste ontwikkelingen.

Scanopties instellen

Met de knop **Opties** bij het venster **Hulpprogramma's** kunt u de scanopties en de waarschuwingsniveaus zo instellen dat er automatisch wordt gecontroleerd op spyware zodat uw computer goed beschermd is.

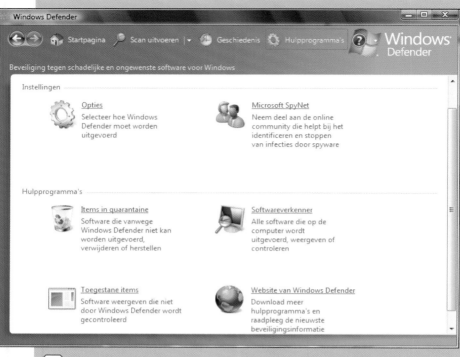

Beveiliging tegen schadelijke en ongewenste software voor Windows

1 Klik in het venster Defender op **Hulpprogramma's**.

2 Klik op **Opties**.

3 Klik op de selectie-vakjes naast elke optie die u wilt gebruiken.

4 Geef onder het item **Scan automatisch op mijn computer uit-voeren (aanbevolen)** met de lijstpijlen **Frequentie**, **Geschatte tijd** en **Type** aan.

5 Klik op **Opslaan** wanneer u klaar bent met het selecteren van ge-avanceerde opties.

INFO Typ eventueel het wachtwoord of een bevestiging als u wordt ge-vraagd om het Administratorwachtwoord.

Standaardbewerkingen

Met de standaardbewerkingen worden de stappen bedoeld die **Windows Defender** zonder uw medeweten uitvoert. Bij de optie **Standaardbewerkingen** geeft u aan hoe de Defender moet reageren als er spyware of vermoedelijke spyware wordt gesignaleerd. Hierbij moet u realiseren dat niet alle gedetecteerde software ook per definitie schadelijk kan zijn. Soms zijn het programma's die door de Defender niet worden herkend. Bij het onderdeel **Standaardbewerkingen** kunt u dan ook aangeven hoe u wilt reageren op mogelijk ongewenste software.

Onderstaande tabel kunt u gebruiken om uw keuze te maken.

Waarschuwings-niveau	Wat betekent dat	Wat wordt geadviseerd
Hoog	Programma's die mogelijk persoonlijke informatie over u verzamelen en negatieve gevolgen hebben voor uw privacy, of die uw computer beschadigen door bijvoorbeeld informatie te verzamelen of instellingen te wijzigen, doorgaans zonder uw medeweten of toestemming.	Verwijder deze software direct.
Gemiddeld	Programma's die mogelijk van invloed zijn op uw privacy, of computerinstellingen wijzigen waardoor uw computergebruik negatief wordt beïnvloed, bijvoorbeeld door persoonlijke informatie te verzamelen of instellingen te wijzigen.	Lees de informatie in de waarschuwing om te achterhalen waarom de software werd gedetecteerd. Als de manier waarop de software werkt u niet bevalt, of als u de uitgever ervan niet kent of vertrouwt, overweeg dan de software te blokkeren of te verwijderen.
Laag	Mogelijk ongewenste software die informatie over u en uw computer kan verzamelen of de manier waarop uw computer werkt, kan wijzigen, maar wordt uitgevoerd in overeenstemming met de voorwaarden van de gebruiksrechtovereenkomst die u tijdens de installatie van de software hebt kunnen lezen.	Deze software is over het algemeen onschadelijk voor uw computer, tenzij de software zonder uw medeweten is geïnstalleerd. Als u niet zeker weet of u de software wilt toestaan, kunt u de informatie in de waarschuwing lezen of kijken of u de uitgever van de software kent en vertrouwt.

Bij de lijstpijl kunt u aangeven of u de welke acties u wilt laten uitvoeren bij bepaalde waarschuwingsniveaus.

Standaardbewerkingen

Selecteer de bewerking die u Windows Defender wilt laten weergeven (of wilt laten toepassen als u deze optie in Automatisch scan uitvoeren hebt geselecteerd) wanneer er items met deze waarschuwingsniveaus worden gedetecteerd. Meer informatie over waarschuwingsniveaus van Windows Defender.

Items met hoog waarschuwingsniveau: Standaard (uit definitie)   ▼

Items met middel waarschuwingsniveau: Standaard (uit definitie)   ▼

Items met laag waarschuwingsniveau: Standaard (uit definitie)   ▼

1 Klik bij de lijstpijl achter het waarschuwingsniveau.

2 Maak uw keuze.

3 Klik op de knop **Opslaan** als u gereed bent met dit venster.

Real-timebeveiliging

Door de real-timebeveiliging wordt u gewaarschuwd wanneer spyware zich probeert te installeren op uw computer. Bij de opties van **Real-timebeveiliging** kunt u aangeven hoe de real-timebewerkingen worden uitgevoerd.

In de onderstaande tabel vindt u uitleg over de instellingen.

Real-time beveiliging	Doel
Automatisch starten	Controleert lijsten met programma's die automatisch mogen worden uitgevoerd als u uw computer opstart. Spyware en andere mogelijk ongewenste software kunnen automatisch worden uitgevoerd wanneer u Windows start. Dit betekent dat dergelijke software zonder uw medeweten wordt gestart en informatie verzamelt. Uw computer kan er ook langzamer door opstarten of werken.
Systeemconfiguratie (instellingen)	Volgt de beveiligingsinstellingen in Windows. Spyware en andere mogelijk ongewenste software kunnen beveiligingsinstellingen van hardware of software wijzigen en vervolgens informatie verzamelen aan de hand waarvan de beveiliging van uw computer verder kan worden ondermijnd.

Real-time beveiliging	Doel
Invoegtoepassingen van Internet Explorer	Controleert programma's die automatisch worden uitgevoerd als Internet Explorer wordt gestart. Spyware en andere mogelijk ongewenste software kunnen zich voordoen als invoegtoepassingen en buiten uw medeweten worden uitgevoerd.
Configuraties van Internet Explorer (instellingen)	Volgt beveiligingsinstellingen van IE 7, die de eerste bescherming bieden tegen spyware en andere mogelijk ongewenste software die proberen computerinstellingen te veranderen zonder dat u daarvan op de hoogte bent.
Met Internet Explorer gedownloade items	Volgt bestanden en programma's die zijn ontworpen om samen te werken met Internet Explorer, zoals ActiveX-besturingselementen en programma's waarmee software wordt geïnstalleerd.
Services en stuurprogramma's	Volgt services en stuurprogramma's wanneer ze in combinatie met Windows en programma's worden uitgevoerd. Omdat services en stuurprogramma's essentiële computerfuncties uitvoeren, hebben deze toegang tot belangrijke software in het besturingssysteem. Spyware en andere mogelijk ongewenste software kunnen gebruik maken van de services en stuurprogramma's die al op uw computer zijn geïnstalleerd om zo ongemerkt toegang te krijgen tot uw computer.
Uitvoeren van toepassingen	Controleert wanneer programma's starten en de overige bewerkingen die deze uitvoeren. Spyware kan kwetsbare plekken in geïnstalleerde programma's gebruiken om ongewenste software buiten uw medeweten uit te voeren. Windows Defender volgt uw programma's en waarschuwt u zodra verdachte activiteit wordt gedetecteerd.
Registratie van toepassingen	Volgt hulpprogramma's en bestanden van Vista of Windows XP waar programma's kunnen worden geregistreerd om op elk gewenst moment te worden uitgevoerd, niet alleen wanneer u Windows of een ander programma start. Spyware en andere mogelijk ongewenste software kunnen een programma registreren zodat het ongemerkt start en bijvoorbeeld op een vast moment van de dag wordt uitgevoerd. Hierdoor kan het programma informatie over u of uw computer verzamelen of toegang krijgen tot de belangrijke software in het besturingssysteem zonder dat u dit weet.

Real-time beveiliging	Doel
Invoegtoepassingen van Windows	Volgt invoegtoepassingen (ook wel hulpprogramma's genoemd) voor Windows. Invoegtoepassingen zijn ontworpen om de mogelijkheden van uw computer uit te breiden op terreinen zoals beveiliging, surfen, productiviteit en multimedia. Helaas kunnen invoegtoepassingen ook programma's installeren die informatie over u en uw online activiteiten verzamelen en gevoelige, persoonlijke informatie doorspelen, vaak aan adverteerders.

Opties voor real-timebeveiliging

☑ Real-timebeveiliging gebruiken (aanbevolen)

Selecteer welke beveiligingsagenten u wilt uitvoeren. Meer informatie over real-time beveiliging

☑ Automatisch starten
☑ Systeemconfiguratie (instellingen)
☑ Invoegtoepassingen van Internet Explorer
☑ Configuraties van Internet Explorer (instellingen)
☑ Met Internet Explorer gedownloade items
☑ Services en stuurprogramma's
☑ Uitvoeren van toepassingen
☑ Registratie van toepassingen
☑ Invoegtoepassingen van Windows

1 Vink de instellingen af die u niet wilt laten uitvoeren.

2 Klik op **Opslaan** als u klaar bent met dit venster.

INFO

Windows Defender maakt gebruik van definities. Dit zijn bestanden die fungeren als een altijd groeiende encyclopedie van mogelijke softwarebedreigingen. De update van deze definities valt onder de update van Vista of Windows. U kunt in Windows Defender ook instellen dat er online wordt gezocht naar bijgewerkte definities voordat de scan wordt uitgevoerd. Er zijn ook andere antispywareprogramma's die u kunt gebruiken. Maar zorg ervoor dat u deze programma's up to date houdt.

TIP

Spyware wordt meestal geïnstalleerd via gratis software, zoals programma's voor het delen van bestanden, schermbeveiligers of zoekwerkbalken

Kinderen veiliger laten surfen

Het internet biedt kinderen een bibliotheek aan informatie. Het kan kinderen echter ook blootstellen aan informatie die minder geschikt voor hen is. Met **Internetrestricties** kunt u aangeven welke sites wel en welke niet toegankelijk zijn. Deze restricties zijn echter wel afhankelijk van classificaties die websites vrijwillig ter beschikking stellen. Omdat niet alle websites zijn geclassificeerd, worden niet-geclassificeerde websites automatisch geblokkeerd (maar u kunt instellen dat ze toch worden weergegeven). Nadat u **Internetrestricties** hebt ingesteld en ingeschakeld, worden alle bezochte websites gecontroleerd.

Als u internetrestricties wilt gebruiken, moet u eerst een supervisorwachtwoord instellen. Daarna geeft u de filters en regels voor het webgebruik van uw kinderen aan. Als u instellingen wilt wijzigen, meldt u zich aan met het supervisorwachtwoord. In de volgende paragrafen wordt beschreven hoe u het wachtwoord kunt instellen en hoe u regels voor internetgebruik kunt instellen.

Het wachtwoord instellen

Als u een supervisorwachtwoord instelt, voorkomt u dat anderen de instellingen van **Internetrestricties** kunnen wijzigen.

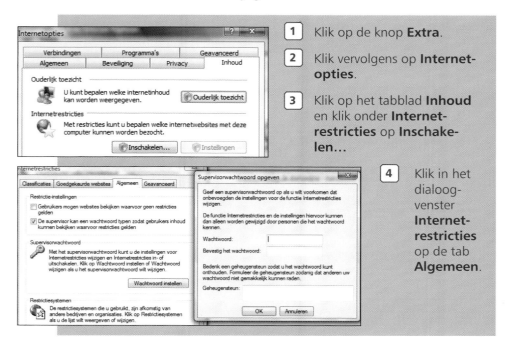

1 Klik op de knop **Extra**.

2 Klik vervolgens op **Internet-opties**.

3 Klik op het tabblad **Inhoud** en klik onder **Internet-restricties** op **Inschakelen...**

4 Klik in het dialoog-venster **Internet-restricties** op de tab **Algemeen**.

5 Klik op **Wachtwoord instellen**.

6 Typ het wachtwoord en de geheugensteun voor het wachtwoord.

7 Met dit wachtwoord kunt u de instellingen wijzigen en geblokkeerde websites toestaan.

8 Klik op **OK**.

TIP Noteer het gemaakte wachtwoord en bewaar het goed. U hebt het nodig als u de instellingen van **Internetrestricties** wilt wijzigen of uitschakelen.

9 Klik op **OK** om het wachtwoord op te slaan en het tabblad te sluiten.

De toegestane classificatieniveaus selecteren

Bij het tabblad **Classificaties** kunt u aangeven welke categorieën u wilt classificeren om niet toe te staan. Zo wilt u bijvoorbeeld dat uw kind geen sites bekijkt waarin **Angst, intimidatie enzovoorts** in voorkomt. U selecteert de categorie en brengt met de schuifbalk de classificatie aan. De classificaties kunnen zijn **Niets** of **Zeer beperkt**.

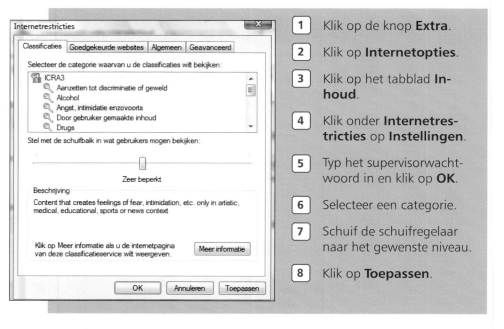

1 Klik op de knop **Extra**.

2 Klik op **Internetopties**.

3 Klik op het tabblad **Inhoud**.

4 Klik onder **Internetrestricties** op **Instellingen**.

5 Typ het supervisorwachtwoord in en klik op **OK**.

6 Selecteer een categorie.

7 Schuif de schuifregelaar naar het gewenste niveau.

8 Klik op **Toepassen**.

> **9** Natuurlijk kunt u ook eerst meer categorieën en classificaties instellen.
>
> **10** Klik op **OK**.

Niet-geclassificeerde websites toestaan

Met **Internetrestricties** worden niet-geclassificeerde websites standaard geblokkeerd. Als u niet-geclassificeerde sites wilt toestaan, voert u de volgende stappen uit.

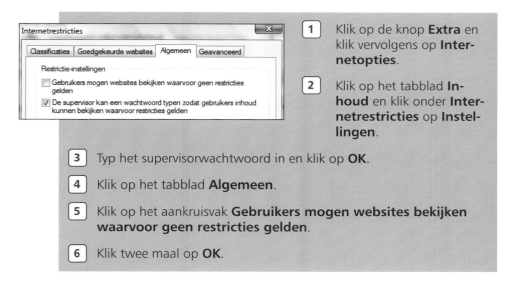

> **1** Klik op de knop **Extra** en klik vervolgens op **Internetopties**.
>
> **2** Klik op het tabblad **Inhoud** en klik onder **Internetrestricties** op **Instellingen**.
>
> **3** Typ het supervisorwachtwoord in en klik op **OK**.
>
> **4** Klik op het tabblad **Algemeen**.
>
> **5** Klik op het aankruisvak **Gebruikers mogen websites bekijken waarvoor geen restricties gelden**.
>
> **6** Klik twee maal op **OK**.

Websites toestaan of blokkeren

Als u bepaalde websites specifiek wilt blokkeren of toestaan, voert u de volgende stappen uit. Deze instelling overschrijft de classificatie van de site.

> **1** Klik op **Extra**.
>
> **2** Klik op **Internetopties**.
>
> **3** Klik op het tabblad **Inhoud**.
>
> **4** Klik onder **Internetrestricties** op **Instellingen**.

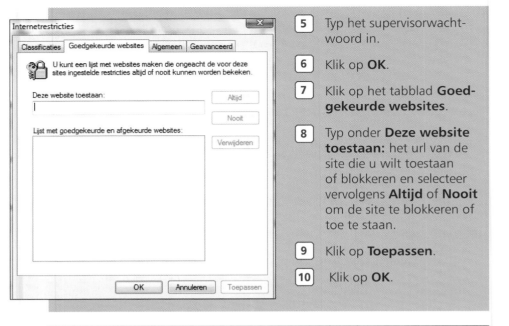

5   Typ het supervisorwacht-woord in.

6   Klik op **OK**.

7   Klik op het tabblad **Goed-gekeurde websites**.

8   Typ onder **Deze website toestaan:** het url van de site die u wilt toestaan of blokkeren en selecteer vervolgens **Altijd** of **Nooit** om de site te blokkeren of toe te staan.

9   Klik op **Toepassen**.

10   Klik op **OK**.

> **INFO**
>
> In de versie Vista is een set besturingsmiddelen voor ouderlijk toe-zicht beschikbaar waarmee u het surfgedrag van uw kinderen nog verder kunt bepalen.

Ouderlijk toezicht

Hebt u op uw computer het besturingssysteem *Vista* dan kunt u als ouder exact aangeven waar uw kinderen wel of niet mogen komen op internet. Ook kunt u het beveiligingsniveau instellen en op afstand monitoren en aanpassen. Dit beveiligingsniveau geldt ook voor andere pc-activiteiten, zoals spelletjes spelen en surfen op het internet. Daarnaast kunt u als ouder achteraf de internetsessies van uw kind bekijken.

Wanneer de toegang tot een webpagina of spelletje via **Ouderlijk toezicht** wordt geblokkeerd, wordt er een bericht weergegeven met de melding dat de webpagina of het spelletje geblokkeerd is. Door op een koppeling in het bericht te klikken kan uw kind vervolgens om uw toestemming vragen voor het weer-geven van de webpagina of het gebruiken van het programma. U kunt toestem-ming geven door uw accountgegevens op te geven. De sessiegegevens kunnen alleen worden verwijderd met toestemming van de ouders.

Voordat u een ouderlijke beveiliging kunt instellen, moet u ervoor zorgen dat elk kind waarvoor u **Ouderlijk toezicht** wilt instellen, beschikt over een standaard gebruikersaccount. Daarnaast moet u zelf een Administrator-account gebruiken. **Ouderlijk toezicht** kan niet worden toegepast op een Administrator-account.

Ouderlijk toezicht inschakelen

Het instellen van **Ouderlijk toezicht** gebeurt in het configuratievenster van Vista. U hebt hier meer mogelijkheden om het internetgebruik en het computergebruik van uw kinderen te beperken. Zo kunt u bijvoorbeeld zorgen dat uw kinderen niet alle websites kunnen bekijken, of kunt u aangeven dat er niet gedownload mag worden. U kunt filters instellen waarmee bepaalde inhoud wordt geblokkeerd of toegestaan.

Ook kunt u tijdslimieten instellen zodat u bepaalt hoelang uw kinderen toegang tot de computer hebben. U kunt verschillende aanmeldingstijden opgeven voor elke dag van de week. De toegang tot spelletjes kunt u beperken, een leeftijdscategorie kiezen, de soorten inhoud kiezen die u wilt blokkeren. Tot slot kunt u voorkomen dat kinderen bepaalde ongewenste programma's starten. Helaas gelden deze opties alleen bij het besturingssysteem Vista.

Taken

Een systeem voor spelclassificaties selecteren

Opties voor Ouderlijk toezicht

Een gebruiker selecteren en Ouderlijk toezicht instellen

Wat kan ik met Ouderlijk toezicht doen?

anneke
Computeradministrator
Met wachtwoord beveiligd

Als u Ouderlijk toezicht wilt toepassen op iemand die zich niet in de lijst bevindt, dient u een nieuwe gebruikersaccount voor deze persoon te maken.

Waarom heb ik hiervoor een account nodig?

Een nieuwe gebruikersaccount maken

1. Klik op **Extra / Internetopties**.

2. Klik op het tabblad **Inhoud**.

3. Klik op **Ouderlijk toezicht**.

4. Typ eventueel het Administratorwachtwoord.

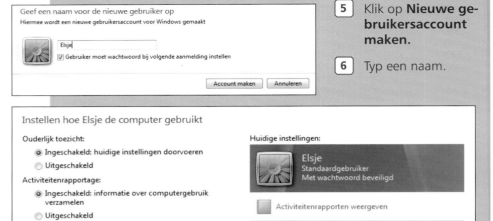

Geef een naam voor de nieuwe gebruiker op
Hiermee wordt een nieuwe gebruikersaccount voor Windows gemaakt

Elsje

☑ Gebruiker moet wachtwoord bij volgende aanmelding instellen

Account maken   Annuleren

5 Klik op **Nieuwe ge-bruikersaccount maken.**

6 Typ een naam.

Instellen hoe Elsje de computer gebruikt

Ouderlijk toezicht:

◉ Ingeschakeld: huidige instellingen doorvoeren
◯ Uitgeschakeld

Activiteitenrapportage:

◉ Ingeschakeld: informatie over computergebruik verzamelen
◯ Uitgeschakeld

Windows-instellingen

Windows Vista-webfilter
Toegestane websites, downloads en ander gebruik regelen

Tijdslimieten
Bepalen wanneer Elsje de computer mag gebruiken

Spellen
Spellen beheren op basis van classificatie, inhoud of naam

Specifieke programma's toestaan en blokkeren
Elk gewenst programma op uw computer toestaan of blokkeren

Huidige instellingen:

Elsje
Standaardgebruiker
Met wachtwoord beveiligd

Activiteitenrapporten weergeven

Webbeperkingen:	Normaal
Tijdslimieten:	Uitgeschakeld
Spelclassificaties:	Uitgeschakeld
Programmabeperkingen:	Uitgeschakeld

7 Klik op **Account maken** of klik op het gebruikersaccount waarvoor u Ouderlijk toezicht wilt instellen.

8 Klik onder **Ouderlijk toezicht** op **Ingeschakeld: huidige instellingen doorvoeren.**

Wanneer u de optie **Ouderlijk toezicht** hebt ingeschakeld, worden de opties actief en kunt u de instellingen aanpassen. De vensters die volgen bij de opties zijn gemakkelijk in te stellen. Mocht u vragen hebben, dan kunt u op het vraagteken in de rechterhoek van het venster klikken. U krijgt meer informatie over dit onderwerp.

TIP Werkt u nog met het besturingssysteem Windows XP dan zijn er aparte programma's te koop en zelfs gratis programma's te vinden op het net waarmee u ook een ouderlijke beveiliging kunt instellen.

118

Explorer onderhouden

De webpagina's die u bekijkt, worden tijdelijk op de harde schijf van uw computer geplaatst. Na enkele maanden intensief internetgebruik zal op de harde schijf een hele lijst met bestanden zijn geplaatst. Deze bestanden worden de tijdelijke internetbestanden genoemd. Het is aan te raden deze regelmatig te verwijderen. Dit doet u met behulp van het venster **Internetopties**. In dit venster kunt u ook nog andere opties activeren. Zo kunt u instellen dat gegevens op webpagina's automatisch worden aangevuld of kunt u controleren welke internetverbinding is ingesteld. Kortom allemaal zaken die er voor zorgen dat het surfen moeiteloos verloopt.

Tijdelijke internetbestanden weergeven

In de map **Tijdelijke internetbestanden** vindt u de webpagina's terug die u eerder al bekeken hebt. Dit is de reden dat de pagina's die u regelmatig bezoekt of die u al eerder hebt bekeken, sneller worden weergegeven. Om te zien welke bestanden er al op uw computer aanwezig zijn, volgt u de volgende stappen.

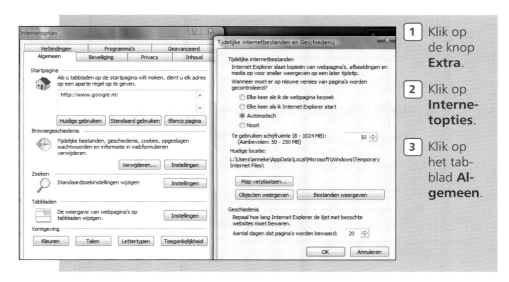

1 Klik op de knop **Extra**.

2 Klik op **Internetopties**.

3 Klik op het tabblad **Algemeen**.

4 Klik onder **Browsegeschiedenis**.

5 Klik op **Instellingen**.

6 Klik in het venster **Tijdelijke internetbestanden** op **Bestanden weergeven**.

7 U krijgt in een venster de inhoud van de map **Tijdelijke internetbestanden** te zien.

8 U kunt u nu de sites verwijderen zoals u gewend bent met andere bestanden die op uw harde schijf staan (selecteren en op [Delete] drukken) of u kunt het venster weer sluiten met het sluitsymbool.

TIP

Wilt u bepaalde bestanden uit uw map met **Tijdelijke internetbestanden** opslaan, dan kopieert u deze naar een andere map. Klik met de rechtermuisknop op het bestand, klik op **Kopiëren**, en plak het bestand in een andere map.

INFO

In het venster **Tijdelijke internetbestanden** en **Geschiedenis** kunt u ook aangeven wanneer er gecontroleerd moet worden op nieuwe versies van de webpagina's. De keuze is standaard **Automatisch**, een goed keuze. U kunt ook aangeven hoeveel schijfruimte de internetbestanden mogen gebruiken. Heb u een grote schijf, vergroot dan de schijfruimte naar 250 MB.

Tijdelijk internetbestand verwijderen

Tijdelijke internetbestanden kunt u het beste regelmatig verwijderen om ruimte te maken op de vaste schijf. Bij het verwijderen hebt u vijf opties. U kunt aangeven of u de kopieën van de webpagina's en de bijbehorende afbeeldingen wilt wissen. Dit is aan te bevelen als er weinig ruimte op de harde schijf is. U kunt de **Cookies verwijderen**, dit betekent dat u in veel gevallen opnieuw aanmeldgegevens moet invoeren. U kunt de **Geschiedenis verwijderen**, u verwijdert dan de lijst met websites die u anders raadpleegt met **Favorieten / Geschiedenis** en u kunt formuliergegevens verwijderen die u al eerder bij een website hebt ingevuld. En u kunt de wachtwoorden wissen. Deze laatste twee opties gebruikt u als u de wachtwoorden of persoonlijke gegevens niet meer wilt zien als de computer bepaalde sites bezoekt.

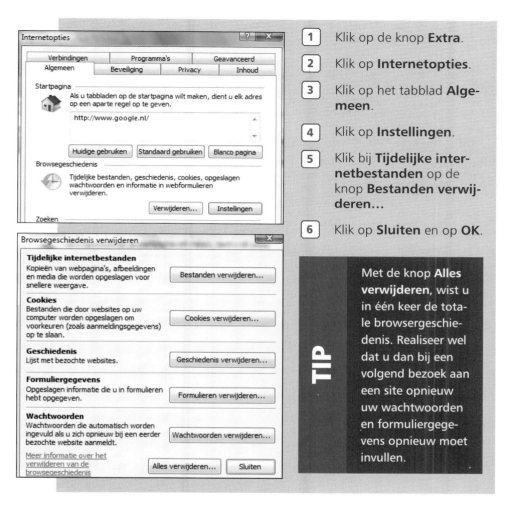

1. Klik op de knop **Extra**.

2. Klik op **Internetopties**.

3. Klik op het tabblad **Algemeen**.

4. Klik op **Instellingen**.

5. Klik bij **Tijdelijke internetbestanden** op de knop **Bestanden verwijderen...**

6. Klik op **Sluiten** en op **OK**.

TIP

Met de knop **Alles verwijderen**, wist u in één keer de totale browsergeschiedenis. Realiseer wel dat u dan bij een volgend bezoek aan een site opnieuw uw wachtwoorden en formuliergegevens opnieuw moet invullen.

Formulieren en wachtwoorden automatisch invullen

Wanneer u vaak gegevens invoert op een webpagina is het handig om de functie **AutoAanvullen** van Internet Explorer te activeren. Met deze optie worden wachtwoorden en andere gegevens automatisch opgeslagen en bij een volgend gebruik aangevuld wanneer u begint te typen. **AutoAanvullen** is standaard ingeschakeld.

Als **AutoAanvullen** is uitgeschakeld, voert u de volgende stappen om de functie weer in te schakelen.

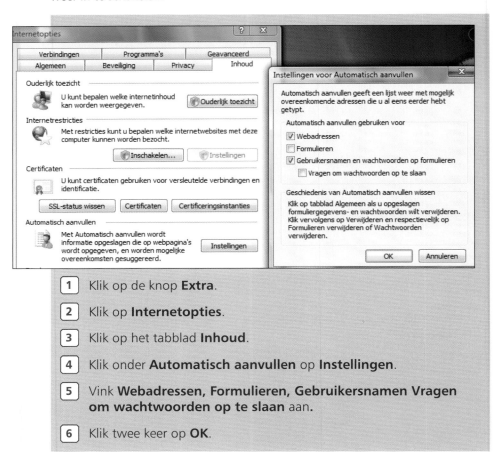

1 Klik op de knop **Extra**.

2 Klik op **Internetopties**.

3 Klik op het tabblad **Inhoud**.

4 Klik onder **Automatisch aanvullen** op **Instellingen**.

5 Vink **Webadressen, Formulieren, Gebruikersnamen Vragen om wachtwoorden op te slaan** aan.

6 Klik twee keer op **OK**.

Herstellen van de standaardinstellingen

Zodra internet Explorer is geïnstalleerd, zijn een aantal standaardinstellingen gemaakt. Meestal past u Explorer aan uw eigen voorkeuren aan en wijzigt u daarmee de standaardinstellingen. Hebt u instellingen gewijzigd en zijn daardoor problemen ontstaan, die u niet kunt oplossen, dan is het handig om de standaardinstellingen van Internet Explorer te herstellen. Dit betekent wel dat alle werkbalken en invoegpassingen naar de beginstand worden gezet en de internetbestanden op de harde schijf en de door u ingestelde zoekmachines en startpagina worden verwijderd. De **Favorieten**, de **Feeds** en de internetverbindingen en -restricties blijven ongewijzigd.

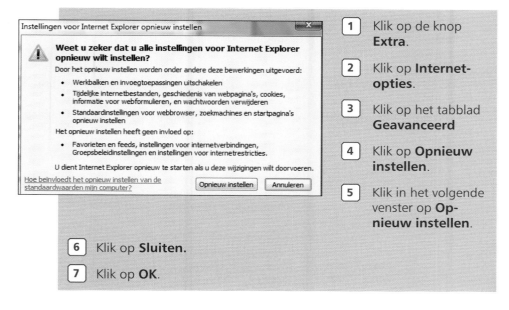

1 | Klik op de knop **Extra**.

2 | Klik op **Internet-opties**.

3 | Klik op het tabblad **Geavanceerd**

4 | Klik op **Opnieuw instellen**.

5 | Klik in het volgende venster op **Opnieuw instellen**.

6 | Klik op **Sluiten**.

7 | Klik op **OK**.

De wijzigingen worden van kracht wanneer u Internet Explorer opnieuw start.

In onderstaande tabel ziet u wat er gebeurt als u de standaardinstellingen van Internet Explorer herstelt.

Instellingencategorie	Betrokken items
Instellingen die worden verwijderd	Browsergeschiedenis, tijdelijke internetbestanden, cookies, formuliergegevens en opgeslagen wachtwoorden. Opgegeven URL-gegevens, offline webpagina's, menu-uitbreidingen. Websites die zijn toegevoegd aan intranetzones, vertrouwde zones of zones met beperkte toegang. Websites die zijn toegevoegd voor speciale afhandeling van cookies op het tabblad Privacy. Websites waarvoor pop-ups zijn toegestaan bij Instellingen voor Pop-upblokkering. Lijst met onlangs gebruikte items in Explorer.

Instellingencategorie	Betrokken items
Instellingen die worden vervangen door de standaardinstellingen van Windows	Startpagina. Zoekmachines, instellingen voor browsen met tabbladen. Instellingen voor kleuren, talen, lettertypen en toegankelijkheid (tabblad **Algemeen**). Instellingen voor beveiliging voor alle zones (tabblad **Beveiliging**). Instellingen op het tabblad **Geavanceerd**. Instellingen op het tabblad **Privacy**. Instellingen voor pop-upblokkering, AutoAanvullen, phishingfilter en in- en uitzoomen. Instellingen voor de pagina, werkbalk en tekengrootte. Instellingen voor feeds (synchronisatie en meldingen, niet de feeds zelf). ActiveX-besturingselementen die niet op de vooraf goedgekeurde lijst staan (status 'Bij voorkeur uit' herstellen). Werkbalken, browserhulpobjecten en browseruitbreidingen worden uitgeschakeld.
Instellingen en onderdelen die bewaard blijven	**Favorieten.** **Feeds.** **Internetrestricties.** Vooraf goedgekeurde ActiveX-besturingselementen. Instellingen voor pad naar bestand met tijdelijke internetbestanden (cache). Certificaatgegevens. Internetprogramma's (e-mail, Instant Messenger en andere programma's voor gebruik met internet). Instellingen voor internetverbinding, proxy en VPN. Instelling voor standaardwebbrowser.

INFO

Als u een foutmelding krijgt wanneer u de instellingen herstelt, dan zijn misschien niet alle zichtbare vensters gesloten. Start Windows opnieuw, open Internet Explorer en probeer het opnieuw in te stellen. Gebruikt u Internet Explorer binnen een netwerk dan kunnen soms bepaalde categorieën niet worden hersteld, omdat Internet Explorer geen toegang krijgt tot een bestand of registerinstelling. U bezit dan niet de vereiste bevoegdheden. Het kan ook zijn dat bestanden of instellingen door een ander programma worden gebruikt of dat er sprake is van onvoldoende geheugen of hoog CPU-gebruik. U kunt doorgaan zonder de instellingen van Internet Explorer te herstellen of u kunt de computer opnieuw opstarten en nogmaals proberen de instellingen te herstellen.

Een back-up maken van een startpagina

De startpagina van Internet Explorer kan bestaan uit één of meerdere pagina's. Hebt u de startpagina aan uw wensen aangepast, dan is het handig om deze op te slaan bij uw favorieten. Bij het opnieuw installeren of herstellen van Internet Explorer hebt u de vertrouwde instellingen direct weer bij de hand.

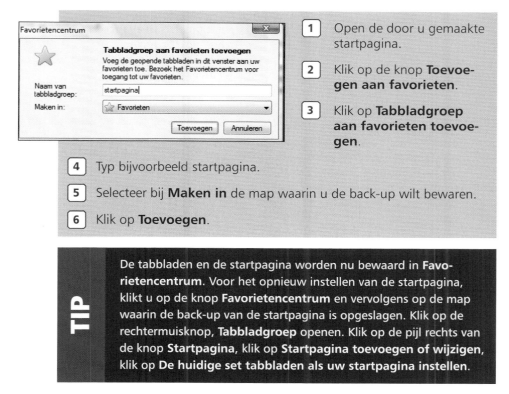

1 Open de door u gemaakte startpagina.

2 Klik op de knop **Toevoegen aan favorieten**.

3 Klik op **Tabbladgroep aan favorieten toevoegen**.

4 Typ bijvoorbeeld startpagina.

5 Selecteer bij **Maken in** de map waarin u de back-up wilt bewaren.

6 Klik op **Toevoegen**.

TIP De tabbladen en de startpagina worden nu bewaard in **Favorietencentrum**. Voor het opnieuw instellen van de startpagina, klikt u op de knop **Favorietencentrum** en vervolgens op de map waarin de back-up van de startpagina is opgeslagen. Klik op de rechtermuisknop, **Tabbladgroep** openen. Klik op de pijl rechts van de knop **Startpagina**, klik op **Startpagina toevoegen of wijzigen**, klik op **De huidige set tabbladen als uw startpagina instellen**.

Hoe maak ik verbinding met het internet?

Wanneer u wilt surfen op het internet moet u zich eerst abonneren bij een provider. Deze zal u vragen of u een breedband- of inbelverbinding wilt. Een breedbandverbinding betekent dat u kiest voor een ADSL- of kabelverbinding. Bij ADSL heeft u een hogere datasnelheid dan bij een inbelverbinding. De prijs van breedband hangt af van de snelheid van de verbinding. Bij het openen van een website wordt namelijk een bestand opgehaald van een internetserver. Deze snelheid wordt uitgedrukt in bits per seconde. Bij een inbelverbinding is dit maximaal

64 kilobit per seconde, bij een ADSL-verbinding is dit afhankelijk van het abonnement (lees prijs) 375 kilobits tot 12 megabits. Een ander verschil is dat bij een ADSL-verbinding u naast een modem ook nog een splitter krijgt die noodzakelijk is om de telefoonlijn op te splitsen in twee banden. Een voor de telefoongesprekken en een voor de internetverbinding.

Bij een kabelverbinding maakt u gebruik van de TV-kabel en een kabelmodem die de data filtert. Kiest u voor een inbelverbinding dan maakt u gebruik van een analoge telefoonlijn of digitale telefoonlijn en een speciaal telefoonnummer waarmee de verbinding wordt gelegd met de internetaanbieder. Deze verbindingen zijn relatief duur omdat per telefoontik wordt betaald.

Wanneer u gekozen hebt voor een kabel of ADSL-verbinding kunt u ook nog besluiten of u een draadloze verbinding wilt of niet. Een draadloze verbinding is natuurlijk erg handig, geen in de weg slingerende kabels meer en u kunt werken waar u maar wilt. Voor een draadloze verbinding hebt u een kabel- of ADSL-modem nodig om de verbinding met het internet te kunnen maken (meestal koopt of krijgt u het modem van uw internetprovider). Dan moet u nog een router hebben voor de koppeling tussen de internetverbinding en uw computer of thuisnetwerk. Ten derde hebt u een Accesspoint nodig die de draadloze verbinding maakt met de router. Er zijn drie opties waarmee u een draadloos netwerk kunt aanleggen.

1   U koopt een draadloos accesspoint een router en een modem.

2   U koopt een draadloos accesspoint en een modem waar al een router in zit.

3   U koopt een draadloze router waarin al een accesspoint in is verwerkt en een losse modem.

Wanneer u besluit een draadloze verbinding te realiseren is het belangrijk om te kijken welke afstand u wilt overbruggen. Meestal geldt dat een draadloze router of accesspoint met 2 antennes een beter bereik heeft dan één met slechts een enkele antenne. Een draadloos netwerk is erg gevoelig voor ongewenste gebruikers. Daarom bevat vrijwel elk draadloos accesspoint een encryptiesleutel (WEP), die de data die u verstuurt versleutelt. Ook kan er door middel van het unieke nummer, dat elke netwerkadapter heeft (MAC adres), gefilterd worden op bekende gebruikers. Routers kunnen over een ingebouwde firewall beschikken. Een firewall zorgt voor de bescherming van uw netwerk en computers tegen ongewenste gebruikers die via het internet proberen bij uw gegevens te komen. In de Windows-versie Vista is Windows Firewall ingebouwd en wordt deze automatisch ingeschakeld. Voor de andere Windows-versies moet u een firewall installeren. Bekende programma's hiervoor zijn Norton Firewall en Zone Alarm. Zoekt u een *alles in één* oplossing dan is McAfee Internet Security Suite een goede optie. Welke optie u ook kiest, u moet altijd in de browser de internetverbinding instellen.

Instellen van internetverbinding

Zodra u zich hebt aangemeld bij een internetprovider (ISP) krijgt u de gegevens thuisgestuurd waarmee u de internetverbinding tot stand kunt brengen. De gegevens kunnen bestaan uit een telefoonnummer, gebruikersnaam, wachtwoord en andere verbindingsgegevens, afhankelijk van de door u gekozen verbinding. In sommige gevallen biedt de internetprovider de service om bij u thuis de verbinding tot stand te brengen. Wilt u zelf de verbinding maken dan voert u de volgende stappen uit.

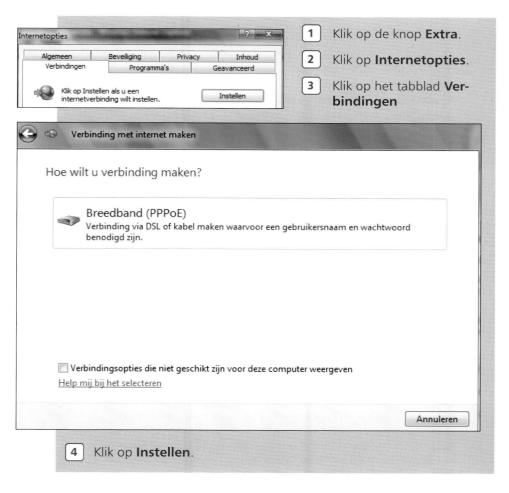

1 Klik op de knop **Extra**.

2 Klik op **Internetopties**.

3 Klik op het tabblad **Verbindingen**

4 Klik op **Instellen**.

1 Kies de manier waarop u een verbinding wilt maken.

2 Klik op **Volgende**.

3 Voer de gegevens in die u hebt gekregen van uw internetprovider.

4 Klik op **Verbinding maken**.

5 De verbinding wordt tot stand gebracht.

> **INFO** Afhankelijk van het type verbinding moet u meer of minder vensters doorlopen.

VPN-verbinding

Naast het surfen op het net kunt u met een internetverbinding ook nog een VPN-verbinding maken. VPN staat voor Virtual Private Network, dit is een beveiligde rechtstreeks verbinding tussen computers op verschillende geografische locaties via het internet. Veel bedrijven gebruiken deze verbinding om medewerkers vanaf verschillende locaties te laten werken, bijvoorbeeld thuis of vanuit de hotelkamer. Een VPN-verbinding kan ook worden gebruikt om computers te beheren op afstand. Net als bij het tot stand komen van een internetverbinding via uw provider, hebt u bij een bedrijfnetwerk gegevens nodig om de verbinding te maken. Deze gegevens krijgt u van uw bedrijf. Voor het instellen van een VPN-verbinding opent u het venster **Internetopties**.

Instellingen voor inbelverbindingen en virtuele particuliere netwerken	
	Toevoegen...
	VPN toevoegen...
	Verwijderen...

1 Klik op de knop **Extra**.

2 Klik op **Internetopties**.

3 Klik op het tabblad **Verbindingen**

4 Klik op **VPN toevoegen...**

Verbinding met een werkplek maken

Hoe wilt u verbinding maken?

➜ Mijn internetverbinding (VPN) gebruiken
Via een VPN-verbinding via internet verbinding maken.

➜ Direct inbellen
Direct via een telefoonnummer verbinding maken zonder internetverbinding.

Wat is een VPN-verbinding?

Annuleren

---

5 Kies de manier waarop u een verbinding wilt maken.

6 Klik op **Volgende**.

7 Voer de gegevens in die u hebt gekregen van uw bedrijf.

8 Klik op **Verbinding maken**.

9 De verbinding wordt tot stand gebracht.

10 Afhankelijk van het type verbinding moet u meer of minder vensters doorlopen.

Help

Internet Explorer 7 heeft een uitgebreide helpfunctie. Hierin kunt u door het invoeren van een trefwoord informatie krijgen over een bepaald onderwerp van dit programma. De helpfunctie benadert u met het vraagteken in de werkbalk of met de toetscombinatie [Alt]+[E].

1 Klik op de lijstpijl achter het pictogram van het vraagteken.

2 Klik op **Inhoudsopgave en index**.

3 Er opent een nieuw venster.

In het helpvenster kunt u in het zoekvak een trefwoord typen en vervolgens op "zoeken" (de loep) klikken. U krijgt dan een aantal trefwoorden / zinnen te zien waaruit u kunt kiezen. Klik dan op een van de zinnen om nieuwe informatie te krijgen. Met het pictogram in de vorm van het huisje kunt u naar de startpagina gaan. Met het pictogram van de printer drukt u de informatie af en met het pictogram in de vorm van een boek krijgt u een inhoudsopgave c.q. index te zien. Het laatste pictogram gebruikt u om naar een community gaan op internet.

1 Typ in het zoekvak: internet.

2 Druk op [Enter].

Deze handelingen kunt u herhalen met telkens een ander trefwoord.

Problemen met IE 7

9

Zoals alle computerprogramma's is ook Internet Explorer niet foutvrij. Sommige problemen die u kunt tegenkomen hebben betrekking op de installatie, en andere op het goed weergeven van websites die gemaakt zijn voor vorige versies van de browser. In dit deel wordt aandacht besteed aan deze twee problemen. Op site van Microsoft, de maker van dit programma, zijn bij de pagina support ook meldingen te vinden van foutberichten. Maar om de site te bekijken moet Internet Explorer wel werken.

De bètaversie van IE 7 verwijderen

Hebt u al een bètaversie van Internet Explorer 7 geïnstalleerd onder het besturingssysteem Windows XP, dan is deze soms moeilijk te verwijderen. Mogelijk hebt u een Hard Disk Utility-programma gebruikt dat ruimte op de vaste schijf herstelt door tijdelijke bestanden en mappen te verwijderen. Het Utility-programma heeft dan misschien de map voor het verwijderen van de installatie verwijderd, waarin alle originele bestanden en registersleutels van Microsoft Internet Explorer versie 6.0 waren opgeslagen. Als deze map ontbreekt, kunt u de installatie van Internet Explorer 7 niet verwijderen met **Software**. U kunt Internet Explorer 6 ook niet meer herstellen. U kunt de installatie van Internet Explorer 7 ook niet verwijderen door de map te verwijderen. Dit probleem moet u oplossen met de Internet Explorer 7 Bèta 2 Uninstall Tool. Gebruik deze tool alleen als de computer en Internet Explorer 7 voldoen aan de volgende vereisten en platformen:

- Microsoft Windows XP Service Pack 2.
- Microsoft Windows XP Service Pack 2.
- Microsoft Windows XP Media Center Edition 2004.
- Microsoft Windows XP Media Center Edition 2005.
- Microsoft Windows XP Tablet PC Edition.
- Het pad naar de Windows-map is C:\Windows.
- Het pad naar de map Program Files is C:\Program Files.
- U voert Windows XP uit op een 32-bits computer.

- Internet Explorer 7 wordt niet genoemd in **Software**.
- De versie van Internet Explorer 7 die is geïnstalleerd, is 7.0.5346.5.

Als de computer en Internet Explorer 7 aan deze vereisten voldoen, kunt u de Internet Explorer 7 Bèta 2 Uninstall Tool gebruiken om Internet Explorer 7 te verwijderen. U kunt dit hulpprogramma downloaden van het Microsoft Downloadcentrum: http://microsoft.com/downloads/details.aspx?Familyld=671BAF16-52A3-410C-85A8-931EA6DE5FF8.

De installatie wordt niet voltooid

Bij het besturingssysteem Vista is Internet Explorer ingebouwd en hoeft daarom niet te worden geïnstalleerd. Bij Windows XP en Windows server 2003 moet u wel Internet Explorer installeren en kan zich het probleem voordoen dat u Internet Explorer niet of slechts gedeeltelijk kunt installeren.

Als bij de installatie lijkt alsof het programma niet meer reageert en vastgelopen is, kijkt u best na of er iets mis is. Vergeet wel niet dat de installatie van Internet Explorer 7 lang kan duren, afhankelijk van de snelheid van verbinding en processor wel tot 45 minuten. De installatie kan namelijk problemen opleveren als de updates niet geïnstalleerd kunnen worden. Wanneer dit gebeurt, onderbreekt u de installatie met [Ctrl]+[Alt]+[Delete], waarna u in het **Taakvenster** het programma selecteert en dan op **Taak beëindigen** klikt. Vervolgens start u de installatie opnieuw maar met de volgende opties.

1 Start het installatieprogramma van Windows Internet Explorer opnieuw.

2 Klik op **Uitvoeren**.

3 Klik in de pagina **Welkom bij Windows Internet Explorer 7** op de knop **Volgende**.

4 Lees de licentieovereenkomst en klik op **Ik ga akkoord**.

5 Klik op **Valideren** om de Windows-installatie te valideren.

6 Vink op de pagina **Download de nieuwste updates van het installatieprogramma** het selectievakje **De meest recente updates installeren voor Internet Explorer en de Microsoft Windows Malicious Software Removal Tool (aanbevolen)** uit.

7 Klik op **Volgende**.

8 Wanneer Internet Explorer 7 met succes is geïnstalleerd, klikt u op **Nu opnieuw starten**.

Het programma is nu geïnstalleerd.

Internet Explorer kan niet worden geïnstalleerd

Wanneer u Internet Explorer niet kunt installeren, kan dit verschillende oorzaken hebben. De meest simpele is dat de installatie wordt belemmerd doordat een antivirus- of antispywareprogramma actief is. Schakel dan eerst het antivirus- en antispywareprogramma uit en start de installatie opnieuw.

Als het probleem niet is opgelost nadat u de antivirusprogramma's tijdelijk hebt uitgeschakeld, kunt u nagaan of er een probleem is waardoor het register niet kan worden bijgewerkt. Vaak betreft het dan machtigingen voor een of meer registersubsleutels of voor bestanden die op de computer zodanig zijn beperkt dat het bijwerken ervan wordt verhinderd.

Het register is een vitaal onderdeel in Windows. Maak dan ook eerst een backup van het register voordat u dit gaat bewerken. Bewerk het register alleen als u er voldoende van kent en weet hoe u dit kunt herstellen als er een probleem optreedt.

De stappen die nu worden beschreven hebben betrekking op het wijzigen van machtigingen voor registersleutels. Hoewel de machtigingen moeten worden gewijzigd om Internet Explorer 7 te kunnen installeren, zijn de machtigingen meestal om specifieke reden geconfigureerd. Ga na of er redenen bestaan voor en denk na over de potentiële gevolgen van het wijzigen van registermachtigingen alvorens u deze wijzigt. Nadat de installatie is voltooid, kunt u de oorspronkelijke configuratie herstellen. Voor het controleren of de juiste registersleutels aanwezig zijn controleert u het logbestand. In Windows XP handelt u hiervoor als volgt:

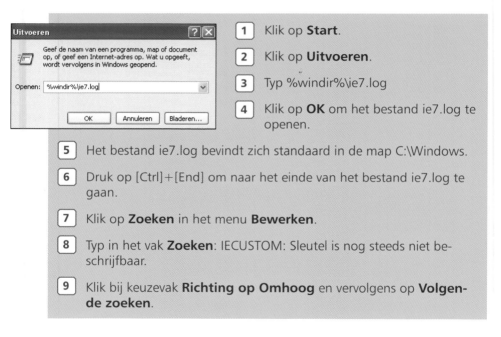

1. Klik op **Start**.

2. Klik op **Uitvoeren**.

3. Typ %windir%\ie7.log

4. Klik op **OK** om het bestand ie7.log te openen.

5. Het bestand ie7.log bevindt zich standaard in de map C:\Windows.

6. Druk op [Ctrl]+[End] om naar het einde van het bestand ie7.log te gaan.

7. Klik op **Zoeken** in het menu **Bewerken**.

8. Typ in het vak **Zoeken**: IECUSTOM: Sleutel is nog steeds niet beschrijfbaar.

9. Klik bij keuzevak **Richting op Omhoog** en vervolgens op **Volgende zoeken**.

Als u de tekst 'Sleutel is nog steeds niet beschrijfbaar' vindt, betekent dit dat er een probleem is waardoor het register niet kan worden bijgewerkt. Als de tekst in het logbestand lijkt op de tekst uit het volgende voorbeeld, betekent dit dat er een probleem is:

time_stamp: IECUSTOM: Sleutel is nog steeds niet beschrijfbaar registersubsleutel.

In dit voorbeeld is registersubsleutel de naam van de registersubsleutel die het probleem veroorzaakt.

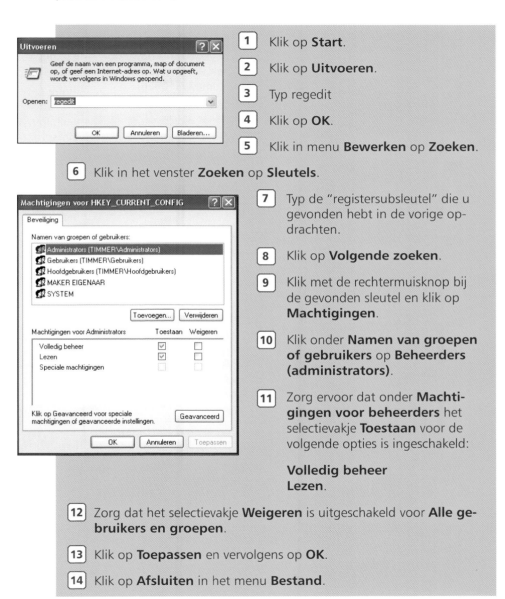

1 Klik op **Start**.

2 Klik op **Uitvoeren**.

3 Typ regedit

4 Klik op **OK**.

5 Klik in menu **Bewerken** op **Zoeken**.

6 Klik in het venster **Zoeken** op **Sleutels**.

7 Typ de "registersubsleutel" die u gevonden hebt in de vorige opdrachten.

8 Klik op **Volgende zoeken**.

9 Klik met de rechtermuisknop bij de gevonden sleutel en klik op **Machtigingen**.

10 Klik onder **Namen van groepen of gebruikers** op **Beheerders (administrators)**.

11 Zorg ervoor dat onder **Machtigingen voor beheerders** het selectievakje **Toestaan** voor de volgende opties is ingeschakeld:

**Volledig beheer
Lezen**.

12 Zorg dat het selectievakje **Weigeren** is uitgeschakeld voor **Alle gebruikers en groepen**.

13 Klik op **Toepassen** en vervolgens op **OK**.

14 Klik op **Afsluiten** in het menu **Bestand**.

Wellicht moet u deze stappen herhalen als er nog sleutels zijn met machtigingen die de installatie van Internet Explorer 7 verhinderen. Installeer daarna Internet Explorer 7 opnieuw. Meer informatie vindt u op de support-webpagina van Microsoft.

Meer registerinformatie kunt u vinden in de Microsoft Knowledge Base in het artikel "De functies van de Register-editor van Windows XP en Windows Server 2003 gebruiken" (http://support.microsoft.com/kb/310426).

Internet Explorer 7 is niet de meest recente versie

Wanneer u Windows Internet Explorer 7 gebruikt om een website te bezoeken, kan een foutbericht als volgt worden weergegeven:

- You do not have the most current version of Internet Explorer.
- The Web site supports Microsoft Internet Explorer 6 or later versions.
- Other Web sites may open as expected. However, the Web sites do not function as expected.

Sommige websites zijn zo ontworpen dat ze Internet Explorer 6 identificeren als de meest recente versie van Internet Explorer. Wanneer u Internet Explorer 7 gebruikt om deze websites te bezoeken, wordt Internet Explorer 7 onjuist geïdentificeerd als een verouderde versie. Dit probleem lost u op door het hulpprogramma User Agent String Utility te gebruiken om de manier te wijzigen waarop websites Internet Explorer 7 herkennen. Het hulpprogramma maakt een browservenster dat Internet Explorer 6 simuleert. Op deze manier kunt u websites bezoeken en daarmee communiceren, alsof u met internet Explorer 6 werkt. De instellingen voor Internet Explorer 7 worden tijdelijk gewijzigd. Het hulpprogramma User Agent String Utility kunt u downloaden van het Microsoft Downloadcentrum. Het hulpprogramma User Agent String Utility werkt alleen bij de volgende platformen:

- Microsoft Windows XP Service Pack 2
- Microsoft Windows XP Home Edition
- Microsoft Windows XP Service Pack 2
- Microsoft Windows XP Service Pack 2

Het hulpprogramma **User Agent String Utility** activeert u als volgt:

> **1** Dubbelklik op het pictogram **User Agent String Utility**.
>
> **2** Klik op **Just change my settings**.
>
> **3** Klik op **Change settings**.

Er wordt een venster geopend met de naam "Temporary v6.0 Window – Windows Internet Explorer emulating Internet Explorer 6.' Zolang dit venster geopend is, kunt u websites hiermee juist laten werken in Internet Explorer 7. Als u Internet Explorer 7 start via het menu **start** of vanaf het bureaublad, wordt Internet Explorer 7 gestart zonder dat het simulatievenster wordt geopend.

INFO

Het hulpprogramma **User Agent String Utility** mag alleen worden gebruikt om websites te bezoeken die Internet Explorer 7 niet kunnen herkennen of weergeven. Wanneer u deze pagina's niet meer hoeft weer te geven, sluit u alle Internet Explorer-vensters die met het hulpprogramma zijn geopend. Gebruik dit hulpprogramma niet om websites te bezoeken die wel juist werken met Internet Explorer 7. Als u nog een venster wilt maken waarin Internet Explorer 6 wordt gesimuleerd door Internet Explorer 7, gebruikt u het hulpprogramma **User Agent String Utility** opnieuw.

U kunt zich niet abonneren op RSS-feeds

In Windows Internet Explorer 7 kunt u zich abonneren op RSS-feeds (Really Simple Syndication). Soms worden de RSS-feeds waarop u zich hebt geabonneerd, niet vermeld of kunt u zich niet abonneren op RSS-feeds. In beide gevallen kan het bestand waarin de feeds zijn opgeslagen, beschadigd zijn of is er een probleem met het gebruikersprofiel of met een invoegtoepassing. U lost dit probleem als volgt op:

> **1** Start Internet Explorer 7.
>
> **2** Voeg een feed toe vanuit een andere vertrouwde website.
>
> **3** Meldt u als een andere gebruiker aan en test de feed.

Als het probleem is opgelost, kunt u het nieuwe gebruikersprofiel gebruiken om met RSS-feeds te werken. Als het probleem niet is opgelost, test u in de modus Internet Explorer. Hiervoor handelt u als volgt:

1 Klik op **start** / **Programma's** / **Bureau-accessoires** / **Systeem-werkset.**

2 Klik op Internet Explorer (geen invoegtoepassingen).

3 Probeer of de feeds nu wel beschikbaar zijn.

Als het probleem in deze modus is opgelost, klikt u op de knop **Extra, Invoeg-toepassingen beheren**, en schakelt u de sites uit die het probleem veroorzaken. Als het probleem niet is opgelost, verwijdert u de RSS-feeds en importeert u ze opnieuw. Dit doet u als volgt:

1 Activeer de menubalk.

2 Klik op **Bestand** / **Wizard Importeren en exporteren**.

3 Klik in de wizard **Selectie Importeren/exporteren** op **Volgende**.

4 Kies de actie **Feeds exporteren**.

5 Klik op **Volgende**.

6 Voer de stappen in de wizard **Importeren/exporteren** uit om feeds naar een bestand te exporteren.

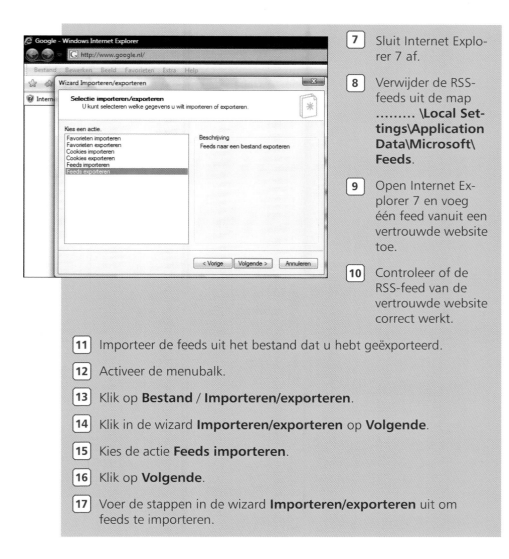

7 Sluit Internet Explorer 7 af.

8 Verwijder de RSS-feeds uit de map **......... \Local Settings\Application Data\Microsoft\ Feeds**.

9 Open Internet Explorer 7 en voeg één feed vanuit een vertrouwde website toe.

10 Controleer of de RSS-feed van de vertrouwde website correct werkt.

11 Importeer de feeds uit het bestand dat u hebt geëxporteerd.

12 Activeer de menubalk.

13 Klik op **Bestand / Importeren/exporteren**.

14 Klik in de wizard **Importeren/exporteren** op **Volgende**.

15 Kies de actie **Feeds importeren**.

16 Klik op **Volgende**.

17 Voer de stappen in de wizard **Importeren/exporteren** uit om feeds te importeren.

De RSS-feeds worden niet bijgewerkt

De RSS-feeds moeten regelmatig worden geüpdatet. Hoe vaak dat gebeurt, stelt u zelf in bij de eigenschappen van de feeds. Als u de updatefrequentie voor de feeds instelt per week, lijkt het of de feeds niet worden bijgewerkt. U moet dan het updateschema van de feed wijzigen. Natuurlijk is het ook mogelijk dat de site die de feeds aanbiedt geen aanpassingen maakt. Controleer of de aanbieder de feeds bijwerkt heeft en / of de gewenste updatefrequentie is ingesteld.

1	Controleer bij de oorspronkelijke site of de feeds zijn bijgewerkt.
2	Activeer de website van de RSS-feeds en controleer of de feeds beschikbaar zijn.

De tweede stap is het controleren of de gewenste updatefrequentie voor de feed is ingesteld.

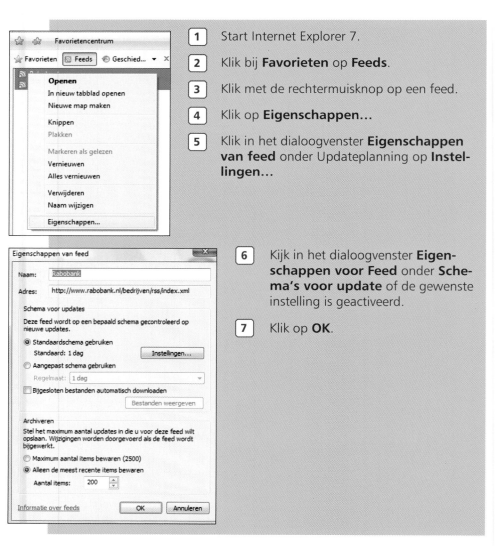

1. Start Internet Explorer 7.

2. Klik bij **Favorieten** op **Feeds**.

3. Klik met de rechtermuisknop op een feed.

4. Klik op **Eigenschappen...**

5. Klik in het dialoogvenster **Eigenschappen van feed** onder Updateplanning op **Instellingen...**

6. Kijk in het dialoogvenster **Eigenschappen voor Feed** onder **Schema's voor update** of de gewenste instelling is geactiveerd.

7. Klik op **OK**.

De feeds worden nu sneller geüpdatet.

Wazige letters vermijden

Bij sommige websites zijn in Internet Explorer de letters wat wazig en is de tekst lastig te lezen. Dit kunt u opheffen door de optie **ClearType** in te schakelen.

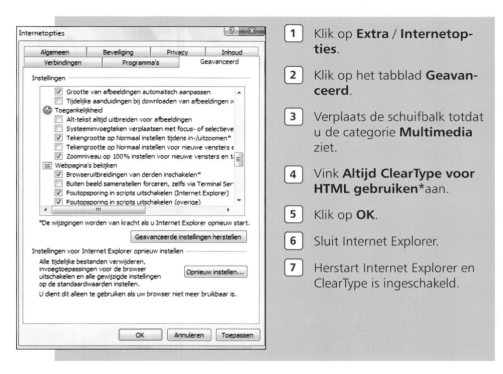

1 Klik op **Extra / Internetopties**.

2 Klik op het tabblad **Geavanceerd**.

3 Verplaats de schuifbalk totdat u de categorie **Multimedia** ziet.

4 Vink **Altijd ClearType voor HTML gebruiken***aan.

5 Klik op **OK**.

6 Sluit Internet Explorer.

7 Herstart Internet Explorer en ClearType is ingeschakeld.

Vergrootglas verbeteren

Internet Explorer-functies zoals overgangen tussen multimedia of pagina's, kunnen de optie vergrootglas onduidelijke of onjuiste informatie doorgeven. Voer de volgende stappen uit om functies die mogelijk conflicteren met het vergrootglas uit te schakelen.

1 Klik op **Extra** en klik vervolgens op **Internetopties**.

2 Klik op de tab **Geavanceerd**.

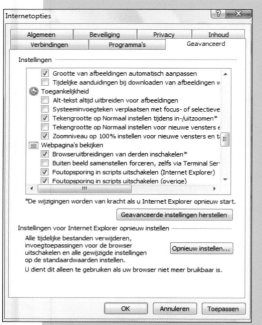

3 Vink één of meer van de volgende vakjes aan:

- **Systeeminvoegteken verplaatsen met focus- of selectie veranderingen.**

- **Alt-tekst altijd uitbreiden voor afbeeldingen**

- **Schakel onder Multimedia het selectievakje Afbeeldingen weergeven en Animaties op webpagina's afspelen uit.**

- **Schakel onder Multimedia het selectievakje Geluiden op webpagina's afspelen uit.**

- **Schakel onder Webpagina's bekijken de selectievakjes Overgangen tussen pagina's inschakelen en Vloeiend schuiven gebruiken uit.**

4 Klik op **OK**.

De websites zullen nu beter leesbaar zijn.

Veel gestelde vragen

10

Hoe kan ik Internet Explorer 7 installeren?

Als u Internet Explorer 6 of een voorgaande versie hebt, kunt u de nieuwe versie downloaden van de site van Microsoft. Volg de aanwijzingen op het scherm om het programma te installeren.

Hoe kan ik een upgrade uitvoeren naar IE 7?

Als u Internet Explorer 7 opnieuw wilt installeren (of een nieuwere versie wilt installeren), moet u eerst de huidige beta-versies van Internet Explorer 7 van uw systeem verwijderen. Eerder geïnstalleerde beta-versies van Internet Explorer 7 worden niet overschreven met de installatie van Internet Explorer 7.

Hoe kan IE 7 een installatie ongedaan maken?

Eest klikt u op **start**, en kies daar **Configuratiescherm**. Daarna moet u **Software** selecteren in de getoonde lijst bladeren naar **Windows XP – Software-updates**. Hier vindt u **Internet Explorer 7** terug, klik op **Wijzigen / Verwijderen**

Wat zijn snelle tabbladen?

Internet Explorer 7 maakt het beheer van meerdere tabbladen makkelijk met een functie genaamd **Snelle tabbladen**. Met **Snelle tabbladen** kunt u miniatuur-weergaven van alle openstaande tabbladen op één scherm bekijken. Klik rechts van het pictogram **Favorieten** op het pictogram voor **Snelle tabbladen** om alle openstaande tabbladen te bekijken. Op het scherm met miniatuurweergaven kunt u een tabblad openen door op een willekeurige plek van de miniatuurweer-gave te klikken. U sluit een tabblad door op de X in de rechterbovenhoek van de miniatuurweergave te klikken.

Kan ik andere zoekmachines toevoegen aan het vervolgkeuzemenu in het zoekvak?

Met het zoekvak in de opdrachtenbalk kunt u snel vanuit de rechterbovenhoek van de browser zoeken op internet, met behulp van uw favoriete zoekmachines. Voer uw zoekcriteria in en kies een zoekmachine in de vervolgkeuzelijst.

Waar vind ik de opties die ik in Internet Explorer 6 gebruik?

De meeste van de opties die u in Internet Explorer 6 gebruikte, zijn er nog steeds. De tekens voor vorige en volgende zijn kleiner gemaakt en naast de adresbalk geplaatst. In de opdrachtenbalk zijn de vertrouwde opties (afdrukken, paginaweergave, instellingen, enzovoorts) er nog.

Waarom kan ik in Internet Explorer de menubalk niet vinden?

Om zo veel mogelijk ruimte over te laten voor de weergave van websites, is het menubalk standaard verborgen. De meeste menuopties kunt u openen vanuit de werkbalk. Als u het menu **Bestand** wilt openen, klikt u op de lege ruimte achter de tabbladen. Klik dan met de rechtermuisknop op de keuzemenubalk.

Sneltoetsen

11

Binnen IE 7 kunt u ook sneltoetsen gebruiken. In onderstaande tabellen zijn de sneltoetsen voor het gebruik van Internet Explorer gerubriceerd voor de verschillende taken.

Sneltoetsen voor Webpagina's weergeven en verkennen

Taak	Toetscombinatie
Help-informatie weergeven.	[F1]
Overschakelen tussen weergave op volledig scherm en normale weergave van het browservenster.	[F11]
De items op een webpagina, in de adresbalk en op de koppelingenbalk in voorwaartse richting doorbladeren.	[Tab]
De items op een webpagina, in de adresbalk of op de koppelingenbalk terugwaarts doorbladeren.	[Shift]+[Tab]
Naar uw startpagina gaan.	[Alt]+[Home]
Naar de volgende pagina gaan.	[Alt]+[Pijl rechts]
Naar de vorige pagina gaan.	[Alt]+[Pijl links] of [Backspace]
Een snelmenu voor een koppeling weergeven.	[Shift]+[F10]
In voorwaartse richting door frames en browserelementen bladeren (werkt alleen als browsen met tabbladen is uitgeschakeld).	[Ctrl]+[Tab] of [F6]
In terugwaartse richting door frames en browserelementen bladeren (werkt alleen als browsen met tabbladen is uitgeschakeld).	[Ctrl]+[Shift]+[Tab]
Naar het begin van een document schuiven.	[Pijl omhoog]
Naar het einde van een document schuiven.	[Pijl omlaag]
Naar het begin van een document schuiven in grotere stappen.	[Page Up]

Taak	Toetscombinatie
Naar het einde van een document schuiven in grotere stappen.	[Page Down]
Naar het begin van een document gaan.	[Home]
Naar het einde van een document gaan.	[End]
Zoeken op deze pagina.	[Ctrl]+[F]
De huidige webpagina vernieuwen.	[F5]
De huidige webpagina vernieuwen, zelfs als de tijdstempels voor de webversie en uw lokaal opgeslagen versie gelijk zijn.	[Ctrl]+[F5]
Het downloaden van een pagina stoppen.	[Esc]
Een nieuwe website of pagina openen.	[Ctrl]+[O]
Een nieuw venster openen.	[Ctrl]+[N]
Het huidige venster sluiten (als slechts één tabblad geopend is).	[Ctrl]+[W]
De huidige pagina opslaan.	[Ctrl]+[S]
De huidige pagina of het actieve frame afdrukken.	[Ctrl]+[P]
Een geselecteerde koppeling activeren.	[Enter]
Favorieten openen.	[Ctrl]+[I]
De **Geschiedenis** openen.	[Ctrl]+[H]
Feeds openen.	[Ctrl]+[J]
Het menu **Pagina** openen.	[Alt]+[P]
Het menu **Extra** openen.	[Alt]+[T]
Het menu **Help** openen..	[Alt]+[H]

Sneltoetsen voor het werken met tabbladen

De volgende tabel bevat een overzicht van de sneltoetsen die u kunt gebruiken bij het werken met tabbladen.

Taak	Toetscombinatie
Koppelingen in een nieuw tabblad op de achtergrond openen.	[Ctrl]+klikken
Koppelingen in een nieuw tabblad op de voorgrond openen.	[Ctrl]+[Shift]+ klikken

Een nieuw tabblad op de voorgrond openen.	[Ctrl]+[T]
Schakelen tussen tabbladen.	[Ctrl]+[Tab] of [Ctrl]+[Shift]+[Tab]
Het huidige tabblad sluiten (of het huidige venster sluiten, als browsen met tabbladen is uitgeschakeld).	[Ctrl]+[W]
Een nieuw tabblad op de voorgrond openen vanuit de adresbalk.	[Alt]+[Enter]
Naar een bepaald tabbladnummer schakelen.	[Ctrl]+n (waarbij n een cijfer tussen 1 en 8 is)
Naar het laatste tabblad schakelen.	[Ctrl]+[9]
Andere tabbladen sluiten.	[Ctrl]+[Alt]+[F4]
Snelle tabbladen (miniatuurweergave) in- of uitschakelen.	[Ctrl]+[Q]

Sneltoetsen voor de zoomfunctie

Taak	Toetscombinatie
Inzoomen (+ 10%)	[Ctrl]+[+]
Uitzoomen (+ 10%)	[Ctrl]+[-]
Zoomen naar 100%	[Ctrl]+[0]

Sneltoetsen voor de zoekfunctie

Taak	Toetscombinatie
Naar het zoekvak gaan.	[Ctrl]+[E]
Uw zoekopdracht openen in een nieuw tabblad.	[Alt]+[Enter]
Het menu van de zoekmachine openen.	[Ctrl]+[Pijl omlaag]

Sneltoetsen om bij Afdrukvoorbeeld gebruiken

De volgende tabel bevat een overzicht van de sneltoetsen die u kunt gebruiken voor het weergeven en afdrukken van webpagina's.

Taak	Toetscombinatie
Afdrukopties instellen en de pagina afdrukken.	[Alt]+[P]
Papier, kop- en voetteksten, afdrukstand en marges voor deze pagina wijzigen.	[Alt]+[U]
De eerste pagina die moet worden afgedrukt weergeven.	[Alt]+[Home]
De vorige pagina die moet worden afgedrukt weergeven.	[Alt]+[Pijl links]
Het nummer typen van de pagina die u wilt weergeven.	[Alt]+[A]
De volgende pagina die moet worden afgedrukt weergeven.	[Alt]+[Pijl rechts]
De laatste pagina die moet worden afgedrukt weergeven.	[Alt]+[End]
Uitzoomen.	[Alt]+[-]
Inzoomen.	[Alt]+[+]
Een lijst met zoompercentages weergeven.	[Alt]+[Z]
Opgeven hoe u frames wilt afdrukken (deze optie is alleen beschikbaar bij het afdrukken van een webpagina die frames gebruikt).	[Alt]+[F]
Afdrukvoorbeeld sluiten.	[Alt]+[C]

Sneltoetsen voor gebruik vanuit adresbalk

Taak	Toetscombinatie
De tekst in de adresbalk selecteren.	[Alt]+[D]
Een lijst met adressen weergeven die u hebt getypt.	[F4]
In de adresbalk de cursor naar links verplaatsen naar de volgende logische onderbreking in het adres (punt of slash).	[Ctrl]+[Pijl links]
In de adresbalk de cursor naar rechts verplaatsen naar de volgende logische onderbreking in het adres (punt of slash).	[Ctrl]+[Pijl rechts]
"www." toevoegen aan het begin en ".com" aan het einde van de tekst die u in de adresbalk hebt getypt.	[Ctrl]+[Enter]
Vooruit gaan in de lijst met gevonden vermeldingen voor Auto Aanvullen.	[Pijl omhoog]
Achteruit gaan in de lijst met gevonden vermeldingen voor AutoAanvullen.	[Pijl omlaag]

Sneltoetsen voor het openen van menu's

Taak	Toetscombinatie
Het menu **Home** openen.	[Alt]+[M]
Het menu **Afdrukken** openen.	[Alt]+[R]
Het menu **RSS** openen.	[Alt]+[J]
Het menu **Extra** openen.	[Alt]+[O]
Het menu **Help** openen.	[Alt]+[L]

Sneltoetsen gebruikt voor feeds, geschiedenis en favorieten

Taak	Toetscombinatie
De huidige pagina aan uw favorieten toevoegen.	[Ctrl]+[D]
Het dialoogvenster **Favorieten** indelen openen.	[Ctrl]+[B]
Een geselecteerd item omhoog verplaatsen in de lijst **Favorieten** in het dialoogvenster **Favorieten** indelen.	[Alt]+[Pijl omhoog]
Een geselecteerd item omlaag verplaatsen in de lijst **Favorieten** in het dialoogvenster **Favorieten** indelen.	[Alt]+[Pijl omlaag]
Het **Favorietencentrum** openen en uw favorieten weergeven.	[Alt]+[C]
Het **Favorietencentrum** openen en uw geschiedenis weergeven.	[Ctrl]+[H]
Het Favorietencentrum openen en uw feeds weergeven.	[Ctrl]+[J]
Het **Favorietencentrum** openen en vastzetten en uw feeds weergeven.	[Ctrl]+[Shift]+[J]
Het menu **Toevoegen** aan **Favorieten** openen.	[Alt]+[Z]
Alle feeds weergeven (in de weergave voor feeds).	[Alt]+[I]
Een feed markeren als gelezen (in de weergave voor feeds).	[Alt]+[M]
De cursor in het zoekvak plaatsen in de weergave voor feeds.	[Alt]+[S]

Sneltoetsen gebruikt voor het bewerken van webpagina's

Taak	Toetscombinatie
De geselecteerde items verwijderen en naar het Klembord kopiëren.	[Ctrl]+[X]
De geselecteerde items naar het Klembord kopiëren.	[Ctrl]+[C]
De inhoud van het Klembord invoegen op de geselecteerde locatie.	[Ctrl]+[V]
Alle items op de huidige webpagina selecteren.	[Ctrl]+[A]

Sneltoetsen gebruikt voor het werken met de informatiebalk

Taak	Toetscombinatie
De focus verplaatsen naar de informatiebalk.	[Alt]+[N]
Op de informatiebalk klikken.	[spatiebalk]

Sneltoetsen gebruikt voor een afbeelding van een webpagina opslaan

Bewerking Algemeen	Sneltoets
De **Help** van Internet Explorer weergeven of, als u zich in een dialoogvenster bevindt, de contextgevoelige Help voor een item weergeven.	[F1]
Overschakelen tussen weergave op volledig scherm en normale weergave van het browservenster.	[F11]
De items op een webpagina, in de adresbalk en op de koppelingenbalk in voorwaartse richting doorbladeren.	[Tab]
Naar vorig item op de webpagina, of in de adresbalk gaan.	[Shift]+[Tab]
Naar uw startpagina gaan.	[Alt]+[Home]
Naar de volgende webpagina gaan.	[Alt]+[Pijl rechts]
Naar de vorige webpagina gaan.	[Alt]+[Pijl links] of [Backspace]
Een snelmenu voor een koppeling weergeven.	[Shift]+[F10]
Naar het volgende frame gaan.	[Ctrl]+[Tab] of [F6]
Naar het vorige frame gaan.	[Shift]+[Ctrl]+[Tab]

Bewerking Algemeen	Sneltoets
Naar het begin van een pagina schuiven.	[Pijl omhoog]
Naar het einde van een pagina schuiven.	[Pijl omlaag]
Naar het begin van een pagina schuiven in grotere stappen.	[Page Up]
Naar het einde van een pagina schuiven in grotere stappen.	[Page Down]
Naar het begin van een pagina gaan.	[Home]
Naar het einde van een pagina gaan.	[End]
Zoeken op deze pagina.	[Ctrl]+[F]
De huidige webpagina vernieuwen.	[F5] of [Ctrl]+[R]
De huidige webpagina vernieuwen.	[Ctrl]+[F5]
Het downloaden van een pagina stoppen.	[Esc]
Naar een nieuwe locatie gaan.	[Ctrl]+[O] of [Ctrl]+[L]
Een nieuw venster openen.	[Ctrl]+[N]
Het huidige venster sluiten.	[Ctrl]+[W]
De huidige pagina opslaan.	[Ctrl]+[S]
De huidige pagina of het actieve frame afdrukken.	[Ctrl]+[P]
Een geselecteerde koppeling activeren.	[Enter]
De zoekbalk openen.	[Ctrl]+[E]
De balk **Favorieten** openen.	[Ctrl]+[I]
De balk **Geschiedenis** openen.	[Ctrl]+[H]
Meerdere mappen openen op de balken **Geschiedenis** of **Favorieten**.	[Ctrl]+klikken

Sneltoetsen om snel af te drukken

Bewerking afdrukken	Sneltoets
Afdrukopties instellen en de pagina afdrukken.	[Alt]+[P]
Papier, kop- en voetteksten, afdrukstand en marges voor deze pagina wijzigen.	[Alt]+[U]
De eerste pagina die moet worden afgedrukt weergeven.	[Alt]+[Home]
De vorige pagina die moet worden afgedrukt weergeven.	[Alt]+[Pijl links]

Bewerking afdrukken	Sneltoets
Het nummer van de pagina typen die u wilt weergeven.	[Alt]+[A]
De volgende pagina die moet worden afgedrukt weergeven.	[Alt]+[Pijl rechts]
De laatste pagina die moet worden afgedrukt weergeven.	[Alt]+[End]
Uitzoomen.	[Alt]+[-]
Inzoomen.	[Alt]+[+]
Een lijst met zoompercentages weergeven.	[Alt]+[Z]
Opgeven hoe frames moeten worden afgedrukt. Deze optie is alleen beschikbaar als u een webpagina afdrukt waarbij frames worden gebruikt.	[Alt]+[F]
Afdrukvoorbeeld sluiten.	[Alt]+[C]

Index

R

S

T

U

V

W

Z

SnelGids Google

Google is één van de populairste zoekmachines en wordt door miljoenen mensen gebruikt. Google wijst de surfer dan ook snel een lijst van passende weblinks aan. Maar alles staat of valt met het opgeven van de juiste zoektermen! Gelukkig is dat iets wat u kunt leren.

En wist u dat Google niet alleen kan speuren op het WWW? U kunt ook laten zoeken naar afbeeldingen, video's, weblogs, nieuwsarchieven, enzovoort! Bovendien biedt Google nog meer: nuttige tools als Desktop en Picasa, of boeiende satellietbeelden via Google Earth!

In deze Snelgids ontdekt u een schat aan tips en trucs om het beste uit Google te halen en uw webzoektochten tot een succes te maken.

Uit de inhoud:

- Betere en doeltreffender zoektermen ingeven
- Zoektermen combineren voor fijnere resultaten
- Op zoek gaan in collecties van afbeeldingen en video's
- Surfen in weblogs en gidsen
- Nieuwsarchieven induiken
- Een atlas binnen klikbereik: Google Maps
- De boeiende wereld van Google Earth
- Picasa: foto's vinden, bewerken en delen
- Google Pack en andere nuttige hulpprogramma's
- … en nog veel meer!

160 pagina's
ISBN: 978-90- 456-4005-1
Prijs: € 10,95

SnelGids Windows Vista Business

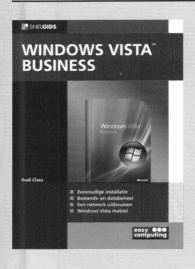

Windows Vista Business richt zich op alle kleine en grote bedrijven. Dit nieuwe besturingssysteem maakt het leven van de dagelijkse Windows-gebruiker daadwerkelijk makkelijker en productiever. Met Windows Vista Business bent u daarenboven niet langer afhankelijk van extern IT-support.

Met deze snelgids kunt u meteen aan de slag met Windows Vista Business. In heldere bewoordingen en eenvoudige stappen worden de vele mogelijkheden van Windows Vista Business getoond. U leert gebruik te maken van de nieuwe interface en hoe u uw mappen optimaal beheert. Of u Windows Vista Business nu gebruikt op uw laptop of binnen een netwerk, deze Snelgids wijst u de weg.

Uit de inhoud:
- Manuele en automatische installatie
- De praktische voordelen van Aero
- Efficiënt gebruik van Windows Vista
- Internet Explorer 7 en Windows Mail
- De computer optimaal beveiligen
- Windows Vista Business aan een netwerk koppelen
- Windows Meeting Space en Virtual PC Express
- Windows Vista voor de mobiele gebruiker
- Bescherm gegevens met Windows Backup en Shadow Copies

160 pagina's
ISBN: 978-90- 456-4007-5
Prijs: € 10,95

SnelGids Windows Vista Home

Het nieuwe Windows besturingssysteem is ook voor de geroutineerde gebruiker een nieuwe ervaring. Niet alleen hebben uw vertrouwde koppelingen en knoppen een nieuwe plaats gekregen, ook aan de programma's zelf is aardig wat gesleuteld. Dankzij deze Snelgids kunt u meteen aan de slag met Windows Vista Home Premium.

In heldere bewoordingen en eenvoudige stappen worden de vele mogelijkheden van Windows Vista Home Premium getoond. Aan de hand van een duidelijke uitleg met veel illustraties leert u te werken met dit nieuwe besturingssysteem. U komt onder meer te weten hoe u het ouderlijk toezicht kunt instellen, hoe u uw computer beveiligt en welke mogelijkheden de recentste versie van Internet Explorer u biedt.

Uit de inhoud:
- Leer de nieuwe interface gebruiken
- Windows Vista gepersonaliseerd
- Snel bestanden vinden met de vernieuwde Verkenner
- Mappen en bestanden delen op een verstandige manier
- Iedere gebruiker een eigen account
- Uw systeem optimaal houden
- Een netwerk binnen een Windows Vista- of XP-omgeving
- …en veel meer

160 pagina's
ISBN: 978-90- 456-3912-3
Prijs: € 10,95

Neem een kijkje op **www.easycomputing.com** en kom alles te weten over uw boek en de andere producten van Easy Computing!

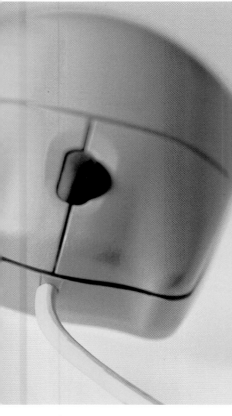

Als u dit boek niet van achteren naar voren hebt gelezen, dan hebt u nu het hele boek uit en kunt u voor uzelf nagaan of het aan uw verwachtingen heeft voldaan. Laat het ons weten en stuur uw suggesties naar **boeken@easycomputing.com**!

Misschien hebt u een specifieke vraag over uw boek? Neem dan een kijkje op de supportpagina van onze website. Daar krijgt u een overzicht van de **veelgestelde vragen** met bijhorend antwoord per titel. Bovendien kunt u vaak de voorbeelden uit het boek, listings of andere extra informatie via **downloads** op uw pc binnenhalen. Sneller kan niet!

Naast onze computer- en managementboeken krijgt u ook een overzicht van onze **software** en ons **papier**. In totaal vindt u meer dan 250 titels, 15 verschillende thema's en 10 boekenreeksen. Jong of oud, beginner of gevorderde, er is voor ieder wat wils!

Om steeds op de hoogte te blijven van de nieuwigheden en speciale acties kunt u zich inschrijven voor onze wekelijkse **nieuwsbrief**. Altijd up-to-date!

Al onze boeken, software en papier zijn te koop bij de betere boekhandel en computershop. Via onze site vindt u snel een **verkooppunt in uw buurt** van onze producten.

Indien u een technische vraag hebt over één van onze producten en geen antwoord op onze site hebt gevonden, kunt u ons steeds telefonisch contacteren, elke werkdag van 11u tot 12u30 en van 13u30 tot 17u.

België
Tel: 0900/10 383 (0.45 euro/minuut)
Nederland
Tel: 0900/202 18 38 (0.45 euro/minuut)